# DYRCHAFWN GRI

Lewis Valentine

# DYRCHAFWN GRI

Darlleniadau Beiblaidd, Myfyrdodau,
Gweddïau ac ambell Ysgrif

Golygydd: IDWAL WYNNE JONES

GWASG PANTYCELYN

05922     B. VAL

© Gwasg Pantycelyn 1994 Ⓗ

Dymuna'r cyhoeddwyr gydnabod cymorth
Adrannau'r Cyngor Llyfrau Cymraeg.

ISBN 1 874786 14 3

Cyhoeddwyd ac argraffwyd gan Wasg Pantycelyn, Caernarfon

# I

**GLYN DAVIES**
am ddiogelu *Y Deyrnas*

**PAUL ANTHONY ROBERTS**
ar ei neilltuo i waith y Deyrnas
ym mro Llanuwchllyn

**HUW GWYN**
am ei edmygedd o lafur ei Daid
yn 'y winllan wen'

# CYNNWYS

## ADRAN 2

# RHAGAIR

Ym 1979 derbyniais gasgliad cyflawn o rifynnau *Y Deyrnas,*
Misolyn Bedyddwyr Cymraeg Llandudno (1923-36), yn rhodd
gan Mr. Glyn Davies, un o ddiaconiaid y Tabernacl. Hyd
heddiw ni allaf ond rhyfeddu, a dal i ryfeddu, at ddawn
ddigymar a gwelediaeth y Golygydd, y Parchedig Lewis
Valentine, i gynhyrchu cylchgrawn eglwysig bywiog a mentrus.
Fel hyn y mae Mr. John Emyr, yn ei ragymadrodd godidog i
*Dyddiadur Milwr a Gweithiau Eraill Lewis Valentine* (Gwasg
Gomer, 1988), yn disgrifio'r gymwynas hon

> Gweithgaredd difyr ac addysgiadol yw pori yn rhifynnau'r cylch-
> grawn hwn. Cawn ynddynt ddarlun o fywyd eglwysig a bywyd trefol y
> cyfnod; yn wir, gellid dadlau mai math o bapur bro cynnar oedd *Y
> Deyrnas.* Themâu crefyddol sydd amlycaf, a gwelir pwyslais Valentine
> ar weddi a defosiwn.

Cafodd y gweinidogion a'r offeiriaid oedd yn aelodau o
Froderfa Gweinidogion Bae Colwyn a'r cyffiniau yn nechrau'r
wythdegau gyfle breintiedig i glywed Lewis Valentine yn
datgan ei ffydd gref mewn defosiwn personol. Yr oedd troi at y
'meistri' yn ei ystafell ddirgel yn fater rhaid iddo yn ôl ei gyffes
ef ei hun. Ochr yn ochr â'i Feibl a'i Lyfr Emynau yr oedd
*Dilyniad Christ,* Thomas à Kempis, yng nghyfieithiad enwog
Huw Owen, Gwenynog, Llanfflewyn, Môn. Ar ddydd pen-
blwydd ein gwron yn ddwy ar hugain oed, 1 Mehefin 1915, yr
oedd Dr. H. E. Fosdick, yr heddychwr a'r gweinidog ad-
nabyddus yn Efrog Newydd, yn gorffen ysgrifennu ei
ragymadrodd i'w gyfrol *The Meaning of Prayer.* Cyfieithwyd ei
glasur i ddwy ar bymtheg o ieithoedd! Aeth Valentine ati i drosi
nifer o fyfyrdodau Fosdick ar weddi, yn ogystal â gweddïau
amrywiol y traddodiad Cristnogol, i'r Gymraeg yn ei choethder
a'i graen, a'u cyhoeddi yng ngholofn ddefosiwn *Y Deyrnas.*
     A ninnau eleni, 1 Mehefin 1993, yn cofio canmlwydd ei eni,
ni fedrem feddwl am ffordd deilyngach i anrhydeddu'r cofio, a

chydnabod dyled i weinidog a chymwynaswr anghyffredin, na chasglu ynghyd ddetholion o'r myfyrdodau a'r gweddïau a baratowyd ganddo ar gyfer defosiwn personol ei gyd-aelodau. Dylid cadw mewn cof, wrth gwrs, ei fod wrth baratoi ei Golofn Ddefosiwn yn gorfod cadw at yr un gofod yn fisol. Dyna un rheswm pam nad yw wedi trosi'r myfyrdodau a'r gweddïau yn union air am air fel y maent yng nghyfrol Fosdick, ond yr un yw'r sylwedd a'r un hefyd yw'r apêl yn dilyn pob darlleniad dyddiol o'r Beibl. Dilynir yr un patrwm bob dydd am saith wythnos: Darlleniad Beiblaidd, Myfyrdod, a Gweddi. Ambell dro fe ddaw Emrys ap Iwan, Morgan Llwyd, Richard Jones, Y Wern, Llanfrothen, Elfed, Cynan, ac eraill i gloi sylw fel maneg. Y mae yma'n ogystal gasgliad o weddïau a baratowyd yn benodol ganddo ar gyfer 'arwain ein pobl ieuainc mewn pethau defosiwn'.

Pan gyhoeddwyd fersiwn *Y Beibl Cymraeg Newydd* o'r Testament Newydd, ym 1975, arweiniodd Lewis Valentine Ddosbarthiadau Beiblaidd seiliedig ar y cyfieithiad hwnnw yng Nghalfaria, Colwyn, lle yr oedd yn aelod. Cafodd y saint arlwy nodedig. Dangosodd ein cyfaill yr un diddordeb a brwdfrydedd pan gyhoeddwyd fersiwn o'r Salmau, ei hoff faes, ym 1979. Boed mewn dosbarth, cyfeillach, neu froderfa, 'roedd Valentine yn ei elfen wrth chwilio *Y Beibl Cymraeg Newydd* a dod o hyd i air, idiom neu briod-ddull a fyddai'n goleuo adnod a'i chyd-destun. Ac o'r cyfieithiad hwnnw y dewiswyd Darlleniadau ar gyfer y Myfyrdodau Dyddiol yn y gyfrol hon.

Erbyn heddiw, yn nyddiau'r proseswyr geiriau a'r cyfrif-iaduron hwylus, daeth cyhoeddi cylchgrawn eglwysig yn arfer cyffredin mewn llawer o gapeli ac eglwysi Cymraeg pob enwad. Tra gwahanol oedd pethau, wrth reswm, yn y dauddegau. Yn ogystal â chreu diddordeb ym mywyd yr eglwys a'i chyf-arfodydd, cyhoedda Valentine yn rhifyn cyntaf *Y Deyrnas*, Tachwedd 1923:

> Mae amcan arall gennym hefyd, sef ceisio cael gan ein pobl ieuainc ddarllen Cymraeg. Mae ein tynged ni fel eglwys a thynged yr iaith yn un. Oni fedrwn roddi bywyd yn yr hen iaith annwyl, parlysir ein hymdrechion yn yr eglwys hon.

Un o'r ieuenctid a godwyd i'r weinidogaeth yn ystod ei gyfnod yn Llandudno yw'r Parchedig George Metcalfe, Leamington Spa, Swydd Warwick. Anfonodd ef lythyr ataf ac at un o'i gyfoedion yma ar ôl derbyn *Seren Cymru*, 28 Mai 1993, rhifyn i gofio canmlwydd geni ei dad yn y ffydd. Fe ddeil i drysori sawl atgof fel y byddai ei weinidog yn cyhoeddi Salm i'w chanu ym mhob oedfa, ac yn arwain gweddïau a'r gynulleidfa'n ymateb. Ni fedrai neb y pryd hynny, ym marn Mr. Metcalfe, arwain Gwasanaeth Cymundeb yn debyg i Mr. Valentine; byddai yn 'Sacrament o Ryfeddu' tan ei arweiniad. Nid yw'n syndod o gwbl iddo gael ei lysenwi yn *Carnera* ar ôl yr Eidalwr talsyth Primo Carnera — y cawr o focsiwr pwysau trwm a oedd yn bencampwr y byd ar y pryd! Cymerodd Valentine ran yn y tridegau mewn etholiad lleol am sedd ar Gyngor y Dref, ond heb ennill. Ei wrthwynebydd oedd W. S. Williams, dilledydd yn Stryd Mostyn. Ar boster Mr. Williams 'roedd y geiriau, 'Vote For W. S. Williams and DAL I FYN'D.' Ymatebodd Valentine yn ddioed â phoster:

Vote For Lewis Valentine:
Mae Dal i Fyn'd yn dda,
Ond 'mae Mynd a Dal yn well.

Enghraifft lachar o ddal-i-fynd-rwydd Carnera! Adlewyrchir ei argyhoeddiad diwyro gan wyneb-ddalen rhai o rifynnau *Y Deyrnas,* fel y cewch weld yn y casgliad hwn, a chan ambell ysgrif neu bwt o newyddion yr oedd y gweinidog yn daer am i'w gyd-aelodau fod yn gyfarwydd â hwy.

Pwyswyd ar gyfarwyddyd a chyngor caredig y Prifathro John Rice Rowlands, Coleg y Bedyddwyr, Bangor, wrth baratoi y detholiad hwn o gynnwys *Y Deyrnas*, a diolchir yn gynnes iawn iddo am ei gymwynas. Cysur difesur i'r Parchedig Lewis Valentine yn ei flynyddoedd olaf oedd ymweliadau mynych E. Meirion Roberts, Colwyn, ag ef i seiadu am 'y pethe', a gwerthfawrogaf ei gymwynas yntau yn cynllunio'r clawr. Diolch hefyd i William Owen, Swyddog Cyhoeddi, Gwasg Pantycelyn am fy nghymell i gasglu'r deunydd ac am fod yn dra amyneddgar pan oeddwn yn bodio bitrwd!

*Llandudno*                    IDWAL WYNNE JONES
*Awst 1993*

11

# ADRAN 1

# DARLLENIADAU DYDDIOL

Wedi eu trosi o Dr. H. E. Fosdick, *The Meaning of Prayer*

*Yr Wythnos Gyntaf:*
## GWEDDI YN DDAWN NATURIOL

## Y DYDD CYNTAF

Gofynnwyd unwaith i Samuel Johnson am y ddadl gryfaf o blaid gweddi, a'i ateb oedd, 'Syr, nid oes dadl o blaid gweddi'. Nid ei feddwl oedd mai peth afresymol ydyw gweddi, ond yn hytrach duedd reddfol ym mhob dyn. Y mae'n arferiad sydd mor naturiol â bwyta. 'Cymhelliad cryfaf a mwyaf naturiol enaid dyn ydyw gweddi,' medd Carlyle. Ystyrier yr adnodau a nodir yma, a gweler mor gyffredinol y duedd i weddïo.

> Os daw dyn dieithr, nad yw'n un o'th bobl Israel, o wlad bell er mwyn dy enw mawr a'th law gref a'th fraich estynedig, a gweddïo tua'r tŷ hwn, gwrando di o'r nef lle'r wyt yn preswylio, a gweithreda yn ôl y cwbl y mae'r dyn dieithr yn ei ddeisyf arnat, er mwyn i holl bobloedd y byd adnabod dy enw a'th ofni yr un fath â'th bobl Israel, a sylweddoli mai ar dy enw di y gelwir y tŷ hwn a adeiledais i.
>
> II CRONICL 6: 32, 33

O ddarllen yr adnodau uchod, gwelwch fel y mae'r ysgrifennydd sanctaidd yn ystyried hyd yn oed y dieithryn a ddaw o bell yn ymarfer gweddi. Cofier fod gweddi y ddawn fwyaf naturiol a fedd dyn.

O Dduw, yn dy law Di y mae bywyd a marwolaeth. Dy nerth Di sydd yn fy nghynnal a'th drugaredd Di sydd yn fy arbed. Edrych yn dosturiol arnaf. Maddau am esgeuluso ohonof y ddyletswydd a roddaist ar fy nghyfer a gadael i ddiwrnodiau ac oriau y rhaid rhoddi cyfrif amdanynt, fynd heibio heb ymdrechu gwneuthur dy ewyllys. Pâr i mi gofio, O Dduw, mai dy rodd Di ydyw pob diwrnod, ac mai yn ôl dy orchymyn y dylid ei dreulio. Dyro imi fedru edifarhau am fy esgeulustod, fel y derbyniwyf drugaredd gennyt, a threulio'r amser a roddi eto i mi yn gwneuthur dy orchymyn yn ddiwyd, trwy Iesu Grist. Amen.

SAMUEL JOHNSON (1709-84)

## YR AIL DDYDD

Er nad oedd yn Gristion, dywed Epictetus, hen athronydd
Groegaidd, a anwyd oddeutu'r amser y merthyrwyd Paul,
'Wedi i ti gau dy ddrws a thywyllu dy ystafell, na ddywed dy fod
ar dy ben dy hun. Y mae Duw yn yr ystafell.' Gŵyr pawb am
ddarlun Paul o hiraeth y byd am Dduw, a'r ymdeimlad o'i
bresenoldeb a geir ymhlith pob cenedl.

> Safodd Paul yng nghanol yr Areopagus, ac meddai: 'Wŷr Athen,
> yr wyf yn gweld ar bob llaw eich bod yn dra chrefyddgar.
> Oherwydd wrth fynd o gwmpas ac edrych ar eich pethau
> cysegredig, cefais yn eu plith allor ac arni'n ysgrifenedig, 'I Dduw
> nid adwaenir'. Yr hyn, ynteu, yr ydych chwi'n ei addoli heb ei
> adnabod, dyna'r hyn yr wyf i'n ei gyhoeddi i chwi. Y Duw a
> wnaeth y byd a phopeth sydd ynddo, nid yw ef, ac yntau'n
> Arglwydd nef a daear, yn preswylio mewn temlau o waith llaw. Ni
> wasanaethir ef chwaith â dwylo dynol, fel pe bai arno angen
> rhywbeth, gan mai ef ei hun sy'n rhoi i bawb fywyd ac anadl a'r
> cwbl oll. Gwnaeth ef hefyd o un dyn (Neu, *o un cyff.* Yn ôl
> darlleniad arall, *o un gwaed.*) bob cenedl o ddynion, i breswylio ar
> holl wyneb y ddaear, gan bennu cyfnodau ordeiniedig a therfynau
> eu preswylfod. Yr oeddent i geisio Duw, yn y gobaith y gallent
> rywfodd ymbalfalu amdano a'i ddarganfod; ac eto nid yw ef nepell
> oddi wrth yr un ohonom.
> 'Oherwydd ynddo ef yr ydym yn byw ac yn symud ac yn bod',
> fel, yn wir, y dywedodd rhai o'ch beirdd chwi:
> 'Canys ei hiliogaeth ef hefyd ydym ni.'
>
> ACTAU 17: 22-28

Gwelir bod gweddi ac addoli yn gyffredinol; am Dduw y mae
pobloedd y byd yn chwilio. Adroddir hanesyn am wraig
anwybodus o Affrica, pan glywodd sôn am Grist gyntaf erioed,
yn troi at ei chymydog a dywedyd, 'Dyna ti, yr wyf yn wastad
wedi dweud y dylai fod Duw fel yna.' Ym mhob dyn y mae'r
cymhwyster i addoli a gweddïo, i adnabod Duw a'i garu. Onid
dyma'r gynneddf werthfawrocaf a fedd? Pa werth a roddwn ar y
ddawn hon?

O Arglwydd ein Duw, dyro ras i ni i ddyheu amdanat â'n holl
galon; ac o ddyheu amdanat, dy geisio a'th gael; ac o'th gael, dy
garu; ac o'th garu, casáu y pechodau hynny y'n gwaredaist oddi
wrthynt. Amen.

ANSELM (1033-1109)

15

## Y TRYDYDD DYDD

Bwrw rhai anghlod ar weddi oherwydd y defnydd a wneir ohoni
yn ystod rhyfel, ac mewn peryglon anarferol. Mewn rhyfel ceir
dynion ar y ddwy ochr yn erfyn cynhorthwy Duw, a'r naill ochr
a'r llall yn hawlio mai gyda hwy y mae Duw. Cydnebydd pawb
bod elfennau chwerw ac annheilwng mewn gweddïau dyddiau
rhyfel, ond ni ellir diystyru'r cymhelliad cryf i weddïo a ddaw i
blant dynion mewn perygl a dirwasgiad anarferol. Gwelir
dynion yn gweddïo y pryd hynny na welwyd erioed mohonynt
yn gwneuthur hynny o'r blaen. Darllener gweddi naturiol
Heseceia yn ystod gwarchae Jerwsalem.

> O Arglwydd Dduw Israel, sydd wedi ei orseddu ar y cerwbiaid, ti
> yn unig sydd Dduw dros holl deyrnasoedd y byd; ti a wnaeth y
> nefoedd a'r ddaear. O Arglwydd, gogwydda dy glust a chlyw. O
> Arglwydd, agor dy lygaid a gwêl. Gwrando'r neges a anfonodd
> Senacherib i watwar y Duw byw. Y mae'n wir, O Arglwydd, fod
> brenhinoedd Asyria wedi difa'r cenhedloedd a'u gwledydd, a
> thaflu eu duwiau i'r tân; cawsant eu dinistrio am nad duwiau
> mohonynt, ond gwaith dwylo dyn, o goed a charreg. Yn awr, O
> Arglwydd ein Duw, gwared ni o'i afael, ac yna caiff holl
> deyrnasoedd y ddaear wybod mai ti yn unig, O Arglwydd, sydd
> Dduw.

II BRENHINOEDD 19: 15-19

## Y PEDWERYDD DYDD

Clywsom am gaplan yn gofyn i filwr a oedd yn gweddïo
weithiau. 'Byddaf, weithiau,' meddai'r milwr, 'gweddïais yn
angerddol nos Sadwrn diwethaf ym mrwydr ofnadwy Thiepval.
Yr oedd pawb yn gweddïo yno'. Cymhellir pob dyn i weddïo
pan ddaw perygl disymwth i'w gyfarfod. Y mae pawb wedi
darllen darlun byw y Salmydd o dymestl ar y môr, onid ydych,
gwnewch heno:

> Aeth rhai i'r môr mewn llongau,
> a gwneud eu gorchwylion ar ddyfroedd mawr;
> gwelsant hwy weithredoedd yr Arglwydd,
> a'i ryfeddodau yn y dyfnder.

Pan lefarai ef, deuai gwynt stormus,
a pheri i'r tonnau godi'n uchel,
Cawsant eu codi i'r nefoedd a'u bwrw i'r dyfnder,
a phallodd eu dewrder yn y trybini;
yr oeddent yn troi yn simsan fel meddwyn,
ac wedi colli eu holl fedr.
Yna gwaeddasant ar yr Arglwydd yn eu cyfyngder,
a gwaredodd ef hwy o'u hadfyd.

SALM 107: 23-28

Ystyriwch y weddi hon a weddïodd Esgob Ridley yn ei garchar ychydig ddyddiau cyn ei losgi wrth y stanc!

O Dad nefol, Tad pob doethineb a deall a gwir nerth, er mwyn Dy unig Fab Iesu Grist, ein Gwaredwr, edrych yn dosturiol ar ddyn truenus fel fi, a rho Dy Ysbryd Glân yn fy nghalon; fel y deallwyf yn ôl dy ddoethineb Di nid yn unig sut i wynebu'r demtasiwn hon ond fel y gallwyf ymladd yn hy' er gogoniant Dy enw. Ac wedi derbyn amddiffyn Dy ddeheulaw, sefyll ohonof yn wrol yn Dy ffydd, ac yn Dy wirionedd, ac aros felly hyd ddiwedd fy nyddiau, trwy Iesu Grist, ein Harglwydd. Amen.

ESGOB RIDLEY (1500-55)

## Y PUMED DYDD

Sylwch mor naturiol y try dynion at Dduw wyneb yn wyneb â chyfrifoldeb mawr. 'Eich gweddïau ac nid eich llongyfarchiadau sydd arnaf eu heisiau' oedd dywediad dewr un o Brif Weinidogion Prydain Fawr. Dyn o feddwl arwynebol oedd Solomon ar lawer cyfrif; ond pan sylweddolodd gyfrifoldeb ei frenhiniaeth trodd at Dduw mewn gweddi aruchel:

> Yn awr, O Arglwydd fy Nuw, gwnaethost dy was yn frenin yn lle fy nhad Dafydd, a minnau'n llanc ifanc, dibrofiad. Ac y mae dy was yng nghanol dy ddewis bobl, sy'n rhy niferus i'w rhifo na'u cyfrif. Felly rho i'th was galon ddeallus i farnu dy bobl, i ddirnad da a drwg; oherwydd pwy a ddichon farnu dy bobl luosog hyn?'

I BRENHINOEDD 3: 7-9

Wrth ddarllen gweddi Solomon cofiwch am eiriau President Lincoln: 'Llawer gwaith y gyrrwyd fi ar fy ngliniau gan

17

argyhoeddiad dwys nad oedd gennyf unman arall i droi iddo. Nid oedd fy noethineb fy hunan na doethineb neb arall o'm cwmpas yn ddigon ar gyfer galwadau'r dydd'. Yn wyneb cyfrifoldeb mawr, nid oes dim ond gweddi a wna'r tro. Ceisiwch roddi eich hunan yn lle Martin Luther, ei gyfrifoldeb yn aruthrol a gelynion o bob tu yn ymosod yn ffyrnig arno — hon oedd ei weddi mewn dirwasgiad felly:

O Arglwydd fy Nuw! O Dduw, saf Di gyda mi yn erbyn rheswm a doethineb y byd. Rhaid i Ti wneuthur hyn, O Arglwydd. Neb ond Tydi, Arglwydd. Nid fy achos i ydyw, ond dy achos Di. Nid oes a wnelwyf i ddim ag arglwyddi mawrion y ddaear sydd yn ymosod arnaf. Gwell gennyf fi ddyddiau tawel, a chael bod allan o'r helynt. Ond dy achos Di ydyw. O Arglwydd, y mae'n gyfiawn a thragwyddol. Saf yn fy ymyl, O Dduw gwirioneddol a thragwyddol. Nid yw'r cnawd na dim â sawr y cnawd arno yn ddim yma. Duw, O Dduw! onid wyt yn gwrando arnaf, O Dduw? A wyt yn farw? Na! Ni elli Di farw. Yn dy guddio dy hunan yr wyt. A ddewisaist fi i'r gwaith hwn? Os ydyw yn unol â'th ewyllys, gad i mi fod yn sicr o hyn. Ni feddyliaswn i wneuthur dim yn erbyn y fath arglwyddi mawrion. Saf yn fy ymyl. O Dduw, yn enw Dy Fab annwyl Iesu Grist, fy Amddiffyn, fy Nghysgod, ie, fy Nhŵr Cadarn, trwy nerth a grym Dy Ysbryd Glân. Duw! Cynorthwya fi. Amen.

MARTIN LUTHER (1483-1546)

## Y CHWECHED DYDD

Pan glywodd Daniel fod y ddogfen wedi ei harwyddo, aeth i'w dŷ. Yr oedd ffenestri ei lofft yn agor i gyfeiriad Jerwsalem, ac yntau'n parhau i benlinio deirgwaith y dydd, a gweddïo a thalu diolch i'w Dduw, yn ôl ei arfer.

DANIEL 6: 10

Gwelwn yn yr adnod uchod syniad Daniel am weddi. Nid cri angen oherwydd bod cyfrifoldeb yn pwyso'n drwm arno ydoedd. I Daniel rhywbeth yn debyg ydoedd y cymhelliad i fwyta a'r cymhelliad i weddïo. Nid oes neb doeth yn aros i newyn ei orchfygu cyn bwyta, ond sylweddola pob dyn yr angen i'w chyflawni'n rheolaidd. Felly Daniel, nid mewn perygl nac o dân mawr y gweddïai, ond dair gwaith yn y dydd. Mewn argyfwng mawr neu mewn angen mawr y bydd llawer ohonom yn meddwl am weddïo. Medd Eseia, 'Mewn adfyd, O Arglwydd, fe'th geisiant, mewn trybini oherwydd dy gerydd arnynt' (26: 16). Ystyriwch mor ddiwerth ydyw gweddïo felly, ac ystyriwch y weddi hon:

Gorfodir fi, Dad trugarog, i'th geisio bob dydd, ac yr wyt Tithau yn dy roi Dy hun o fewn ein cyrraedd bob dydd: pa bryd bynnag y chwiliaf amdanat, yr wyf yn dy gael; yn fy nhŷ, yn y meysydd, yn y deml ac ar y briffordd. Pa beth bynnag a wnaf yr wyt ti gyda mi; yn bwyta ac yn yfed, yn ysgrifennu ac yn gweithio, yn marchogaeth, yn darllen, yn myfyrio, yn gweddïo, yr wyt Ti gyda mi. Ym mha le bynnag yr wyf, pa beth bynnag a wnaf, teimlaf dy drugareddau a'th gariad. Os llethir fi, amddiffynni Di fi, os cenfigennir wrthyf, cysgodi Di fi; os newynaf, porthi fi; pa angen bynnag sydd arnaf, cyflenwi Di ef. Parha dy drugaredd tuag ataf fel y gwelo'r byd Dy nerth, Dy drugaredd, a Dy gariad na'm siomwyd ynddynt, ac fel y gwelo hyd yn oed fy ngelynion fod Dy drugareddau Di o dragwyddoldeb hyd dragwyddoldeb. Amen.

J. NORDEN (1548-1625)


## Y SEITHFED DYDD

Oherwydd hyn yr wyf yn plygu fy ngliniau gerbron y Tad, yr hwn y mae pob teulu yn y nefoedd ac ar y ddaear yn cymryd ei enw oddi wrtho, ac yn gweddïo ar iddo ganiatáu i chwi, yn ôl cyfoeth ei ogoniant, gryfder nerthol trwy'r Ysbryd yn y dyn oddi mewn, ac ar i Grist breswylio yn eich calonnau drwy ffydd. Boed i chwi, sydd â chariad yn wreiddyn a sylfaen eich bywyd, gael eich galluogi i amgyffred ynghyd â'r holl saint beth yw lled a hyd ac uchder a dyfnder cariad Crist, a gwybod am y cariad hwnnw, er ei fod uwchlaw gwybodaeth. Felly dygir chwi i gyflawnder, hyd at holl gyflawnder Duw.

EFFESIAID 3: 14-19

Yn yr adran uchod ceir enghraifft o weddi aruchel. Mor wahanol y weddi hon i gri llwfr dynion mewn angen.

Ystyriwch yn ddwys pa ddefnydd a wnewch o'r ddawn i

weddïo a blannwyd ynoch, a pha mor effeithiol y defnyddir hi gennych.

O Dduw, yr wyt yn Fywyd, Doethineb, Gwirionedd, a Dedwyddyd, y Tragwyddol, yr unig wir Dduw. Fy Nuw a'm Harglwydd, Tydi yw fy ngobaith a llawenydd fy nghalon. Cyffesaf gyda diolch i Ti fy ngwneuthur ar Dy Lun a'th Ddelw fel y cyfeiriwyf fy holl feddwl atat Ti ac fel y carwyf Di. Arglwydd, rho i mi dy adnabod yn well fel y gallwyf yn well dy garu a'th fwynhau a'th feddiannu. Ac er na fedraf fwynhau'r gwynfyd hwn yn ei berffeithrwydd yma, dyro iddo dyfu ynof yn feunyddiol hyd nes perffeithir ef yn y bywyd a ddaw. Cynydder yr wybodaeth ohonot yma, a pherffeithier hi draw. Tyfer fy nghariad atat yma, ac aeddfeder ef draw; fel y byddo fy llawenydd yma yn fawr mewn gobaith ac y byddo draw yn berffaith mewn sylweddoliad. Amen.

ANSELM (1033-1109)

## GWEDDI YN GYMUNDEB Â DUW

### Y DYDD CYNTAF

Y mae gwerth sylweddol i'r neb a gredo fod gweddi yn gynneddf naturiol mewn dyn. O gofio hyn cedwir ni rhag amheuaeth a digalondid pan gaffom anhawster gyda gweddi yn ein profiad personol. Darllener am brofiad y Salmydd yn Salm 22:

> Fy Nuw, fy Nuw, pam yr wyt wedi fy ngadael,
> ac yn cadw draw rhag fy ngwaredu ac
> oddi wrth eiriau fy ngriddfan?
> O fy Nuw, gwaeddaf arnat liw dydd,
> ond nid wyt yn ateb,
> a'r nos, ond ni chaf lonyddwch.
> Eto, yr wyt ti, y Sanctaidd, wedi dy orseddu
> yn foliant i Israel.
> Ynot ti yr oedd ein tadau'n ymddiried,
> yn ymddiried a thithau'n eu gwaredu.
> Arnat ti yr oeddent yn gweiddi ac achubwyd hwy,
> ynot ti yr oeddent yn ymddiried ac ni
> chywilyddiwyd hwy.
>
> SALM 22: 1-5

Gwelwch y drafferth driphlyg a gafodd y Salmydd. Ni all sylweddoli fod Duw'n 'real'; nid yw ei weddïau yn rhoddi esmwythâd iddo yn ei anawsterau; ac er dyfalbarhau ohono mewn gweddi, ni ddaw esmwythyd iddo. Ond y mae'n cofio profiad y tadau: 'Ein tadau a obeithiasant ynot; gobeithiasant, a gwaredaist hwynt.' Gwêl fod profiad y tadau ym mhob oes yn dwyn tystiolaeth i allu gweddi. Nid oes ganddo le i ddigalonni yn wyneb profiad oesau. Daw i weld mai ynddo ef y mae'r drwg ac nid mewn gweddi, ac o gofio hyn daw ei ffydd yn ôl, ac yn niwedd y Salm tyr allan i ganu yn fuddugoliaethus: 'Mynegaf dy enw i'm brodyr: yng nghanol y gynulleidfa y'th folaf.'

21

O Dduw y sydd, a fu, ac a fydd, o flaen dy wyneb cyfyd a diflanna'r cenhedloedd; ym mhob oes cais pob dyn byw Dydi, a gwêl pawb nad oes diwedd ar Dy ffyddlondeb. Ein tadau yn eu pererindod drwy'r byd a rodiodd wrth Dy arweiniad, ac a orffwysodd ar Dy drugaredd; bydd Dithau i'w plant yn golofn dân. Yn ein hamryfal demtasiynau yr wyt yn agos ac yn deall; mewn galar, Dy diriondeb sy'n adfer y galon lesg; mewn llwyddiant ac esmwythyd, Dy Ysbryd sydd yn ein didoli oddi wrth falchedd, ac yn ein cadw'n ostyngedig. O Unig Ffynhonnell heddwch a chyfiawnder, symud yn awr y llen oddi ar bob calon; gwna ni'n un cymundeb mawr â'th broffwydi a'th saint a roes eu hymddiriedaeth ynot ac ni chywilyddiwyd hwynt. Nid oherwydd ein haeddiant, ond yn ôl dy drugaredd dirion, gwrando ni yn ein gweddïau. Amen.

JAS MARTINEAU (1850-1900)

## YR AIL DDYDD

Paham y methwn gymaint yn ein gweddïau? Darllener yr adnodau canlynol sy'n cynrychioli dwy agwedd o fywyd y Meistr:

> Y mae'n rhaid i mi gyflawni gweithredoedd yr hwn a'm hanfonodd i tra mae hi'n ddydd. Y mae'r nos yn dod, pan na all neb weithio.
>
> IOAN 9: 4

> Bore trannoeth yn gynnar iawn, cododd ef ac aeth allan. Aeth ymaith i le unig, ac yno yr oedd yn gweddïo.
>
> MARC 1: 35

Ceir yn ein heglwysi amryw sy'n barod i roddi gwasanaeth brwdfrydig, ond nid oes ganddynt mo'r ddawn i fynd i'r dirgel gyda Duw. Collasom yr hyn a elwir gan un 'the practice of the presence of God', ac nid rhyfedd bod cymaint o dlodi profiad ysbrydol yn yr eglwys heddiw. Gwyn fyd na fedrem ddal gafael ar frwdfrydedd gwasanaeth heb esgeuluso'r ddawn i gymuno â Duw.

Dad Hollalluog, tyrd i mewn i'n calonnau, a llanw ni â'th gariad fel y byddom yn canu'n iach â nwydau drygionus ac yn dy gofleidio Di, ein hunig ddaioni. Dangos inni, O Dduw, er mwyn dy drugareddau yr hyn wyt i ni. Dywed wrth ein heneidiau, Dy iachawdwriaeth ydwyf. Llefara fel y clywom. Y mae'n calonnau ger Dy fron; agor ein clustiau; brysiwn ar ôl Dy lais a chymerwn afael ynot. Na chuddia dy wyneb oddi wrthym, O Dduw. Ehanga gulni ein heneidiau fel y delych i mewn. Adfer y trigfannau adfeiliedig fel y trigych ynddynt. Gwrando ni, Dad nefol, er mwyn Dy un mab Iesu Grist sy'n fyw ac yn teyrnasu gyda Thi a'r Ysbryd Glân yn oes oesoedd. Amen.

AWSTIN SANT (354-430)

## Y TRYDYDD DYDD

Syniadau plentynnaidd am weddi a bair ein bod ym methu mewn gweddi. Gwna'r syniadau hyn ein gweddïo yn ofer a dirym. Rhyw fath ar erfyniadau ar Santa Clôs dwyfol ydyw syniad llawer am weddi.

> Eisteddodd i lawr a galwodd y Deuddeg, a dweud wrthynt, 'Pwy bynnag sydd am fod yn flaenaf, rhaid iddo fod yn olaf o bawb ac yn was i bawb.' A chymerodd blentyn, a'i osod yn eu canol hwy; cymerodd ef i'w freichiau, a dywedodd wrthynt, 'Pwy bynnag sy'n derbyn un plentyn fel hwn yn fy enw i, y mae'n fy nerbyn i, a phwy bynnag sy'n fy nerbyn i, nid myfi y mae'n ei dderbyn, ond yr hwn a'm hanfonodd i.'
>
> MARC 9: 35-37

> Pan oeddwn yn blentyn, fel plentyn yr oeddwn yn llefaru, fel plentyn yr oeddwn yn meddwl, fel plentyn yr oeddwn yn rhesymu. Ond wedi dod yn ddyn, yr wyf wedi rhoi heibio bethau'r plentyn.
>
> I CORINTHIAID 13: 11

Nid gofyn inni fod yn blentynnaidd a wna Crist wrth ofyn inni fod fel plant yn gywir a gostyngedig. Gwareder ni rhag plentyneiddiwch — rhown ein meddwl ar waith a cheisiwn synied yn gywir mor bwysig y gall cymundeb â Duw fod i fywyd dyn. Ynfyd ydyw gweddïo ar Dduw fel pe bai yn ddim ond rhyw Santa Clôs dwyfol.

O Dad nefol, Awdur a Ffynhonnell pob deall, anfon, ni a atolygwn, Dy Ysbryd Glân i'n calonnau, a goleua ddeall â phelydrau Dy ras nefol. Gofynnwn hyn, Dad Trugarog, er mwyn Dy Fab annwyl Iesu Grist, ein Gwaredwr ni. Amen.

ESGOB RIDLEY (1500-55)

## Y PEDWERYDD DYDD

Mewn gweddïau plentynnaidd dangosir awydd hunanol i geisio pethau gan Dduw, ond ni ddangosir awydd angerddol am gyfeillgarwch Duw ei hun. Dylai perthynas dyn â Duw dyfu, fel y tyf perthynas plentyn â'i rieni. Ar y dechrau, rhoddion y rhieni ydyw awydd y plentyn, a'r pethau a wnânt er ei gysur a'i bleser. Ond daw'r plentyn yn y man i ddeall a gwerthfawrogi ei rieni, daw i garu eu cwmni ac ymhyfrydu yn eu cyfeillgarwch, a theimlo'n ddiolchgar iddynt am eu gofal amdano, daw i bwyso ar eu cyngor ac i lawenhau yn eu cymeradwyaeth. O garu rhoddion ei rieni, daw i'w caru er eu mwyn eu hunain.

> Yr oedd dyn a chanddo ddau fab. Dywedodd yr ieuengaf ohonynt wrth ei dad, 'Fy nhad, dyro imi'r gyfran o'th ystad sydd i ddod imi.' A rhannodd yntau ei eiddo rhyngddynt. Ychydig ddyddiau yn ddiweddarach, wedi newid y cwbl am arian, ymfudodd y mab ieuengaf i wlad bell, ac yno gwastraffodd ei eiddo ar fyw'n afradlon . . . Yna daeth ato'i hun a dweud, 'Faint o weision cyflog sydd gan fy nhad, a phob un ohonynt yn cael mwy na digon o fara, a minnau yma yn marw o newyn? Fe godaf, ac fe af at fy nhad a dweud wrtho, 'Fy nhad, pechais yn erbyn y nef ac yn dy erbyn di. Nid wyf mwyach yn haeddu fy ngalw yn fab iti; cymer fi fel un o'th weision cyflog'.
>
> LUC 15: 11-13, 17-19

Sylwch ar y weddi yn yr hanes hwn — nid 'rho i mi' ond 'gwna fi'. Trwy brofiad blin o boen, neu alar, neu bechod, down wrth dyfu yn fwy parod i ddweud 'gwna fi' yn hytrach na 'rho i mi'. Rhoddwn werth ar Dduw nid er mwyn ei roddion, ond er ei fwyn Ei Hunan. Deuwn i'w garu ac i ymddigrifo yn Ei gymdeithas.

O Dad trugarocaf, rho i mi ymorffwys arnat Ti yn fwy nag ar ddim arall. Bydd i mi yn fwy na golud a thegwch, yn fwy nag anrhydedd a gogoniant, yn fwy na nerth ac urddas, yn fwy na dysg a chyfrwystra, yn fwy na meddiannau a chelf, yn fwy na chlod a chanmol, yn fwy na melystra ac esmwythyd, yn fwy na gobaith ac addewid, yn fwy na phob rhodd a ffafr a fedri eu rhoi imi, yn fwy na phob hyfrydwch y gall meddwl dyn ei dderbyn a'i deimlo; bydd i mi'n fwy na'r angylion a'r archangylion, yn fwy na'r llu nefol, yn fwy na phob dim gweledig ac anweledig.

Annigon a bychan ydyw pob rhodd a roddi oni roddi Dy hunan hefyd. Yn wir ni orffwys fy nghalon ac nis bodlonir, oni orffwys ynot ti. Amen.

THOMAS À KEMPIS (1379-1471)

## Y PUMED DYDD

Y mae llawer yn methu oherwydd ystyried ohonynt weddi yn orfodaeth yn hytrach na braint. Mor wahanol yw profiad y Salmydd o weddi:

> O Dduw, ti yw fy Nuw, fe'th geisiaf di . . .
> Y mae dy ffyddlondeb yn well na bywyd;
> am hynny bydd fy ngwefusau'n dy foliannu . . .
> Caf fy nigoni, fel pe ar fêr a braster,
> a moliannaf di â gwefusau llawen.
> Pan gofiaf di ar fy ngwely,
> a myfyrio amdanat yng ngwyliadwriaethau'r nos—
> fel y buost yn gymorth imi,
> ac fel yr arhosais yng nghysgod dy adenydd—
> bydd fy enaid yn glynu wrthyt;
> a bydd dy ddeheulaw yn fy nghynnal.

SALM 63: 1, 3, 5-8

Yn yr adnodau hyn nid baich yw gweddi, nid gorfodaeth, nid rhywbeth sydd yn ddyledus i Dduw. Ond braint yw gweddi: rhywbeth fel cyfeillgarwch, a serch teuluol, fel chwerthin a llyfrau mawr a cherddoriaeth aruchel, un o gyfleusterau mawr bywyd i'w feddiannu'n ddiolchgar a'i ddefnyddio'n llawen. Y neb a gollo ystyron dyfnaf gweddi sy'n ei amddifadu ei hun o fraint aruchelaf bywyd — cyfeillgarwch â Duw.

O Ysbryd dwyfol sydd yn curo wrth ddrws fy nghalon yn holl amgylchiadau bywyd, dyro gynhorthwy i mi Dy ateb. Ni fynnwn fy ngyrru yn ddall fel sêr y nefoedd drwy eu llwybrau. Ni fynnwn fy ngorfodi i wneuthur Dy ewyllys o'm hanfodd, a chyflawni Dy gyfraith heb ddeall, ac ufuddhau i'th orchymyn-ion heb gydymdeimlad. Dymunaf gymryd holl ddigwyddiadau 'mywyd fel rhoddion perffaith gennyt Ti. Dymunaf dderbyn, hyd yn oed ofidiau bywyd, fel rhoddion daionus gennyt. Agor fy nghalon i dderbyn bob amser — yn y bore, yn y prynhawn, yn yr hwyr; yn y gwanwyn, yn yr haf, ac yn y gaeaf. Pa un bynnag ai

mewn glaw neu heulwen y deui, cymeraf Di yn llawen i
'nghalon. Yr wyt Ti'n fwy na'r glaw a'r heulwen; Tydi ac nid Dy
roddion a chwenychaf; cura, agoraf i Ti. Amen.

GEORGE MATHESON


## Y CHWECHED DYDD

Yn y lle cyntaf, felly, yr wyf yn annog bod ymbiliau, gweddïau,
deisyfiadau a diolchiadau yn cael eu hoffrymu dros bob dyn, dros
frenhinoedd a phawb sydd mewn awdurdod, inni gael byw ein
bywyd yn dawel a heddychlon, yn llawn duwioldeb a gwedduster.
Peth da yw hyn, a chymeradwy gan Dduw, ein Gwaredwr, sy'n
dymuno gweld pob dyn yn cael ei achub ac yn dod i ganfod y
gwirionedd. Oherwydd un Duw sydd, ac un cyfryngwr hefyd
rhwng Duw a dynion, sef Crist Iesu, a oedd yntau yn ddyn . . . Y
mae'n ddymuniad gennyf, felly, fod y gwŷr ym mhob cynulleidfa
yn gweddïo, gan ddyrchafu eu dwylo mewn sancteiddrwydd, heb
na dicter na dadl.

I TIMOTHEUS 2: 1-5, 8

Nid yw gweddi yn ymddangos yn fraint i ni oherwydd y
medrwn weddïo ym mhob man ar unrhyw adeg. Y mae drws
gweddi bob amser yn agored, ac araf ydym i fanteisio ar gyfle
sydd bob amser wrth law.

O Arglwydd, gwna fi'n ymwybodol o'r gras sydd bob amser
o'm cwmpas. Na ad i mi esgeuluso'r cyfarwydd a'r cyffredin.
Dyro i mi weld Dy ddaioni yn fy mara beunyddiol, a bydded i
gysuron fy nghartref gyfarwyddo fy meddyliau at drugareddfa
Duw. Amen.

J. H. JOWETT


## Y SEITHFED DYDD

Rheswm arall am ein methiant mewn gweddi ydyw ein hysbryd
diamynedd. Nid ar chwarae bach y daw neb i garu'r crwth.
Rhaid wrth ddisgyblaeth amyneddgar. Ni ddaw breintiau
gweddi byth i'r diamynedd. Cofier mai bywyd o gyfeillgarwch
cynyddol â Duw ydyw gweddi. Holed pob dyn ef ei hun ymhle
mae ei fethiant.

1. A ydyw eich methiant personol chwi mewn gweddi yn eich

26

digalonni? Cofiwch am brofiadau hyfryd a llwyddiannus llawer cenhedlaeth.

2. Rhoesoch, efallai, y pwys i gyd ar wasanaeth. Gweddi a Gwasanaeth yw dau air mawr Crist.

3. A yw eich syniadau am weddi yn blentynnaidd?

4. A ydych yn rhoddi mwy o bwys ar roddion Duw nag arno Ef ei Hunan?

5. A ydych yn synied am weddi fel dyletswydd yn hytrach nag fel braint?

6. A ydych yn diystyru gweddi oherwydd fod drws gweddi bob amser yn agored?

7. A ydyw ysbryd diamynedd yn eich dallu i wir werth gweddi?

Tyrd, O Arglwydd, mewn trugaredd fawr i'm henaid, a meddianna hi a thrig ynddi. Dyro i mi Dy Hunan, canys hebot Ti ni all Dy holl roddion na dim ar a wnaethost erioed fy modloni. Chwilied fy enaid fyth amdanat, a gad i mi ddyfal chwilio hyd nes cael ohonof Dydi. Amen.

AWSTIN SANT (354-430)

*Y Drydedd Wythnos:*
# GOFAL DUW AM YR UNIGOLYN

## Y DYDD CYNTAF

Y mae gwahaniaeth mawr rhwng dweud gweddïau a 'gweddïo'. I fedru gweddïo yn iawn rhaid inni geisio gweld gweddi fel y'i gwelwyd gan ddilynwyr mawr Mab Duw ym mhob oes. Rhaid inni edrych ar weddi fel cyfeillgarwch bywiol a diball â Duw yr Hwn sydd yn gofalu am bob un ohonom. Pan sylweddolwn hyn, nid ffurf mwyach a fydd gweddi, ond grym a braint. Sylwer ar rym gweddi'r Salmydd yn yr adnodau a ganlyn:

> Yn wir, yn Nuw yr ymdawela fy enaid;
> oddi wrtho ef y daw fy ngobaith.
> Ef yn wir yw fy nghraig a'm gwaredigaeth,
> fy amddiffynfa, fel na'm symudir.
> Ar Dduw y dibynna fy ngwaredigaeth a'm hanrhydedd;
> fy nghraig gadarn, fy noddfa yw Duw.
>
> Ymddiriedwch ynddo bob amser, O bobl,
> tywalltwch allan eich calon iddo;
> Duw yw ein noddfa.
>
> SALM 62: 5-8

Ategir profiad y Salmydd yng ngeiriau Syr Wilfred Grenfell: 'Y mae y fraint o weddïo i mi'n un o'r meddiannau gwerthfawrocaf, canys argyhoeddir fi gan ffydd a phrofiad fod Duw yn gweld ac yn ateb, ac ni feiddiaf byth feirniadu ei atebion Ef. Fy nhasg i yw gofyn. Ganddo Ef y mae'r rhyddid i roddi neu atal fel y gwelo orau. Pe bai amgen, ni feiddiem weddïo byth. Yn nhawelwch y cartref, ym mhrysurdeb bywyd a'i ruthr, yn wyneb angau, y mae'r fraint o lefaru â Duw yn anhraethol. Y mae o fewn cyrraedd y mwyaf di-ddawn o ddynion, gall pawb roddi mynegiant syml i angen syml. A phan na fedraf glywed na gweld na llefaru, eto medraf weddïo fel y clywo Duw. A phan yn y diwedd y cerddaf drwy lyn cysgod angau, disgwyliaf fynd trwyddo mewn cymundeb ag Ef'.

*　　　*　　　*　　　*

O Arglwydd, adnewydda'n hysbryd a thyn ein calonnau atat fel na byddo gwaith inni'n faich, ond yn hyfrydwch. Dyro gariad angerddol ynom tuag atat fel y melyser ein hufudd-dod. Na ad i ni Dy wasanaethu ag ysbryd ofn fel caethion, ond gyda digrifwch a llawenydd plant gan ymhyfrydu ynot, ac ymlawenhau yn Dy waith. Amen.

BENJAMIN JENKS (1646-1724)

## YR AIL DDYDD

Syniadau anghywir am Dduw sy'n peri bod gweddïo'n anodd ac yn ffurfiol. O na sylweddolem fod Duw yn gofalu am bob dyn, ac yn delio â phob dyn ar ei ben ei hun. Darllenwch drachefn a thrachefn yr adnodau hyn:

> Beth yw eich barn chwi? Os bydd gan ryw ddyn gant o ddefaid a bod un ohonynt yn mynd ar grwydr, oni fydd yn gadael y naw deg a naw ar y mynyddoedd ac yn mynd i chwilio am yr un sydd ar grwydr? Ac os daw o hyd iddi, yn wir, 'rwy'n dweud wrthych, y mae'n llawenhau mwy amdani nag am y naw deg a naw nad aethant ar grwydr. Felly nid ewyllys eich Tad, yr hwn sydd yn y nefoedd, yw bod un o'r rhai bychain hyn ar goll.

MATHEW 18: 12-14

Gall dyn gredu yng ngofal arbennig Duw dros bob dyn, a methu mewn gweddi, ond nid oes neb yn llwyddo mewn gweddi heb gredu hyn yn angerddol. Ni all neb weddïo ar Dduw nad yw'n hidio dim mewn dynion.

Hollalluog Dduw, noddfa'r truenus, dyro inni yng nghanol helyntion a thrallod ein bywyd fedru ffoi i gysur Dy drugaredd a'th diriondeb, ac o lechu ynddynt caniatâ fod drycinoedd bywyd yn mynd heibio heb anafu ar heddwch Duw sydd ynom. Pa bethau bynnag sydd gan y bywyd hwn ar ein cyfer, na ad i ddim ddwyn oddi arnom y wybodaeth mai Tad ydwyt Ti. Dyro D'oleuni inni fel y caffom fywyd, trwy ein Harglwydd Iesu Grist. Amen.

GEORGE DAWSON (1821-76)

## Y TRYDYDD DYDD

Oni werthir dau aderyn y to am geiniog? Eto nid oes un ohonynt yn syrthio i'r ddaear heb eich Tad. Amdanoch chwi, y mae hyd yn oed pob blewyn o wallt eich pen wedi ei rifo. Peidiwch ag ofni felly; yr ydych chi'n werth mwy na llawer o adar y to.

MATHEW 10: 29-31

Wynebwn eto heddiw y peth y sylwyd arno o'r blaen gennym, sef ein methiant mewn gweddi oherwydd methu ohonom amgyffred gofal Duw dros yr unigolyn. Caiff rhai anawsterau mawr i gredu hyn.

Sut y medrwn ni gredu fod Duw yn y bydysawd eang hwn yn gofalu am bawb a phob peth ar ei ben ei hun, hyd yn oed holl wallt y pen, ac aderyn y to a syrth i'r llawr? Meddylier am ddeddf disgyrchiad *(law of gravitation)* a dystia fod yr holl ddaearen yn codi i gyfarfod â phêl plentyn, cyn sicred â bod y bêl yn disgyn i gyfarfod â'r ddaear. Ni fedrwn amau y gwirionedd hwn, pam ynte fod rhaid inni amau fod Duw yn plygu i sylwi ar angen plentyn bach?

> Mae'n gwrando pob amddifad gri,
> Mae'n rhoddi nerth i'r gwan.

> Fy Arglwydd sy'n gwisgo y lili
> Mae'n cofio aderyn y to.

O Arglwydd Dduw hollalluog a daionus, meddyli am bob dyn fel pe bai D'ofal arno ef yn unig: a meddyli am bawb fel pe bai pawb yn un gŵr. Gwyn fyd y gŵr a'th garo Di, a'i gyfaill ynot Ti, a'i elyn er Dy fwyn Di. Gwelaf yn awr fel yr â rhai pethau heibio fel y delo eraill i'w lle, ond ni ymedy Di.

O Dad, Ddaioni digymar, tegwch pob prydferthwch, i Ti y rhoddaf ba beth bynnag a roddaist imi, ac ni chollaf ddim. Gwnaethost fi er Dy fwyn dy Hunan, ac anniddig yw fy nghalon hyd oni orffwyso ynot Ti. Amen.

AWSTIN SANT (354-430)

## Y PEDWERYDD DYDD

Ond nid dros y rhain yn unig yr wyf yn gweddïo, ond hefyd dros y rhai fydd yn credu ynof fi trwy eu gair hwy. 'Rwy'n gweddïo ar iddynt oll fod yn un, ie, fel yr wyt ti, O Dad, ynof fi a minnau ynot ti, iddynt hwy hefyd fod ynom ni, er mwyn i'r byd gredu mai tydi a'm hanfonodd i. Yr wyf fi wedi rhoi iddynt hwy y gogoniant a roddaist ti i mi, er mwyn iddynt fod yn un fel yr ydym ni yn un: myfi ynddynt hwy, a thydi ynof fi, a hwythau felly wedi eu dwyn i undod perffaith, er mwyn i'r byd wybod mai tydi a'm hanfonodd i, ac i ti eu caru hwy fel y ceraist fi.

IOAN 17: 20-23

Peth hawdd ydyw credu fod cariad Duw wedi ei ganoli yn yr Arglwydd Iesu — ond dyna wahaniaeth fyddai yn ein gweddïau pe credom ei fod yn ein caru ni fel y carodd Ef. 'Beth yw'r Efengyl?' medd un. Ceir yr ateb mewn emyn Saesneg:

> *Were the whole realm of nature mine,*
> *That were a present far too small!*
> *Love so amazing, so Divine,*
> *Demands my soul!–*

Ystyr hyn ydyw fod yr enaid yn fwy peth, ac yn bwysicach na holl diriogaeth natur. A ydych yn credu hyn? Dyma'r gred fwyaf rhamantus o holl gredoau'r byd. Dywed fod enaid y dyn du mwyaf dinod yn werthfawrocach na holl fwngloddiau aur Johannesburg, a holl ddiemwnt Kimberley, a'r holl filiynau arian sydd gan wŷr mawr masnach yn yr Amerig. Y mae'r enaid bach sydd gan y meddwyn, y mae'r butain fryntaf yng nghwteri ein dinasoedd mawrion yn bwysicach yng ngolwg Duw na'r heuliau, a'r lleuadau, a'r sêr. Cred ramantus, ond onid yw hyn yn wir y mae Cristnogaeth yn dwyllodrus. Ac efallai mai oherwydd methu ohonoch â sylweddoli hyn y darfu i chwi fethu mewn gweddïo.

O Dduw, yn Dy dosturi mawr caniatâ fod tân Dy gariad yn llosgi popeth ynom sydd yn Dy ddigio, a gwna ni'n addas i'th Deyrnas Nefol. Amen.

BREFIARI RHUFEINIG

## Y PUMED DYDD

Canys nid archoffeiriad heb allu cyd-ddioddef â'n gwendidau sydd gennym, ond un sydd wedi ei brofi ym mhob peth yn yr un modd â ni, ac eto heb bechod. Felly, gadewch inni nesáu mewn hyder at orsedd gras, er mwyn derbyn trugaredd a chael gras yn gymorth yn ei bryd.

HEBREAID 4: 15, 16

Sylwch yn fanwl ar yr adnodau; yn gyntaf, dangosir inni'r datguddiad yng Nghrist o Dduw sy'n gofalu ac yn meddwl amdanom; ac yn ail, yr ymddiriedaeth yn realiti gweddi sy'n dilyn hynny. Nid amheuir grym gweddi gan neb a ŵyr am gariad personol Duw. Defod ydyw gweddi i lawer — rhywbeth a ddysgwyd iddynt yn eu plentyndod, ac arferiad yn unig sy'n peri iddynt ddal i weddïo, rhyw draddodiad sy'n mynnu glynu wrthynt, ond nid yw yn rym yn eu bywyd.

O, Arglwydd Dduw, Ti Garwr Sanctaidd fy enaid, pan ddelych Di i'm henaid, llawenycha fy nghalon yn fawr. Tydi yw fy Ngogoniant ac ymffrost fy nghalon; Tydi yw 'Ngobaith a'm Lloches yn nydd fy nghyfyngder. Rhyddha fi oddi wrth holl nwydau annuwiol, ac iachâ fy nghalon o'i holl drachwantau; ac wedi'm glanhau oddi mewn, byddaf yn gymwys i garu, yn ddewr i ddioddef, ac yn gadarn i ddyfalbarhau. Nid oes dim yn felysach na Chariad, dim yn fwy dewr; dim yn llawnach na gwell yn y nefoedd nac ar y ddaear; canys Cariad o Dduw y mae, ac ni all orffwys ond yn Nuw, uwchlaw popeth creëdig. Dyro i mi dy garu yn fwy na mi fy hunan, a'm caru fy hunan yn unig er Dy fwyn Di. Amen.

THOMAS À KEMPIS (1379-1471)


## Y CHWECHED DYDD

Ysywaeth, defod ddefosiynol yn hytrach na thrafodaeth a bywyd ynddi ydyw gweddi i gynifer oherwydd edrychir ar weddi fel gweithred dda sy'n teilyngu clod gan Dduw. Edrych dynion ar weddi fel ymarferiad ddiogel er mwyn cadw ar delerau da gyda Duw. Nid yw gweddi i'r rhain, ond fel y mae seremonïau'r llys i wŷr y llys — rhywbeth i fynd trwyddynt yn ofalus a manwl rhag digio'r brenin. Onid ofn sydd tu ôl i syniad fel hwn? Edrych a wnant ar ymarferiad gweddi fel amddiffyn rhag i lid Duw ddisgyn arnynt. Ni fu gamddealltwriaeth mwy gresynus erioed! Ofer yw pob gweddi onid oes ymwybyddiaeth o gyfathrach â Duw wrth ei gwraidd.

Darllenwch am Eseia yn dangos fel y ffieiddia Duw addoliad ffurfiol heb ystyr ysbrydol iddo:

'Beth i mi yw eich aml aberthau?'
    medd yr Arglwydd.
'Cefais syrffed ar boethoffrwm o hyrddod a braster anifeiliaid;
ni chaf bleser o waed bustych nac o ŵyn na bychod.
Pan ddewch i ymddangos o'm blaen,
pwy sy'n gofyn hyn gennych, sef mathru fy nghynteddau?
Peidiwch ag aberthu rhagor o aberthau ofer;
y mae arogldarth yn ffiaidd i mi.
Gŵyl y newydd-loer, Sabothau a galw cymanfa—
ni allaf oddef anwiredd a chynulliad sanctaidd.
Y mae'n gas gan f'enaid eich newydd-loerau
    a'ch gwyliau sefydlog,
aethant yn faich arnaf, a blinais eu dwyn.
Pan ledwch eich dwylo mewn gweddi,
trof fy llygaid ymaith;
er i chwi amlhau eich ymbil,
ni fynnaf wrando arnoch.
Y mae eich dwylo'n llawn gwaed.
                                          ESEIA 1: 11-15

O Arglwydd Trugarocaf, bydded i'm cariad tuag atat fod fel
cariad plentyn, a fwrio allan bob ofn. Amen.
                                          E. B. PUSEY (1800-82)


## Y SEITHFED DYDD

Y mae pawb sy'n cael eu harwain gan Ysbryd Duw yn feibion
Duw. Oherwydd nid yw'r Ysbryd a dderbyniasoch yn eich
gwneud unwaith eto yn gaethweision ofn; yn hytrach, eich
gwneud yn feibion y mae, trwy fabwysiad, ac yn yr Ysbryd yr
ydym yn llefain, 'Abba! Dad!' Y mae'r Ysbryd ei hun yn cyd-
dystiolaethu â'n hysbryd ni, ein bod yn blant i Dduw. Ac os plant,
etifeddion hefyd, etifeddion Duw a chydetifeddion â Christ,
oherwydd yr ydym yn cyfranogi o'i ddioddefaint ef er mwyn
cyfranogi o'i ogoniant hefyd.
                                          RHUFEINIAID 8: 14-17

Y mae'n amhosibl meddwl am weddi fel defod grefyddol yng
ngoleuni'r adnodau hyn. Yng ngoleuni'r gwirionedd Cristnogol
hwn, hawlio'n mabolaeth a meddiannu'n hetifeddiaeth ydyw
gweddi. Trwy gydol y Testament Newydd y mae'r darllenydd
yn ymwybodol fod cyfoeth i'w feddiannu. 'Anchwiliadwy olud
Crist,' 'Cyfoethog tuag at Dduw,' 'Etifeddion Duw', a llawer o

frawddegau eraill a ddengys yr ymdeimlad o olud ysbrydol a lawenychai'r Cristnogion bore. Cawsant yn yr Efengyl yr Eldorado fod Duw yn caru pob dyn. Yn awr dyna ydyw gweddi — meddiannu'r cyfoeth hwn. Pa faint ohonom sydd heb hawlio'n hetifeddiaeth? Ein haelodaeth eglwysig ydyw'n hawlysgrif ni, ond nid yw'r goludoedd ysbrydol yn ein bywyd ni. Nid ydym yn meddiannu'r ffydd sydd gennym fod Duw yn meddwl ac yn gofalu amdanom.

Caniatâ i mi, ie fi, Arglwydd, Dy adnabod Di, a'th garu, a'th fwynhau. Ac oni fedraf wneuthur hyn yn berffaith yn y bywyd hwn, dyro i mi fedru gwneuthur hynny yn berffeithiach bob dydd hyd nes y deuaf adref i'w gwneuthur yn berffaith. Cynydded ynof yr wybodaeth amdanat yma, fel y byddo'n llwyr ar ôl hyn; fel y byddo fy llawenydd yn gyflawn ynot Ti. Gwn, O Arglwydd mai gwirionedd ydwyt; cyflawna Dy addewidion graslawn tuag ataf, fel y bo fy llawenydd yn llwyr. Amen.

AWSTIN SANT (354-430)

*Y Bedwaredd Wythnos*
## GWEDDI A DAIONI DUW

## Y DYDD CYNTAF

Daeth Iago ac Ioan, meibion Sebedeus, ato a dweud wrtho, 'Athro, yr ydym am iti wneud i ni y peth a ofynnwn gennyt'. Meddai yntau wrthynt, 'Beth yr ydych am imi ei wneud i chwi?' A dywedasant wrtho, 'Dyro i ni gael eistedd, un ar dy law dde ac un ar dy law chwith yn dy ogoniant.' Ac meddai Iesu wrthynt, 'Ni wyddoch beth yr ydych yn ei ofyn. A allwch chwi yfed y cwpan yr wyf fi yn ei yfed, neu gael eich bedyddio â'r bedydd y bedyddir fi ag ef?'

MARC 10: 35-38

Y camsyniad mwyaf a wna dynion ynglŷn â Gweddi ydyw edrych arni fel ffordd o gael gan Dduw wneud ein hewyllys ni. Sylwch ar y peth a ofynnodd Iago ac Ioan gan yr Arglwydd: eu cais oedd ar i'r Arglwydd ei roddi ei hun at eu gwasanaeth hwy; dymunasant gefnogaeth a chymorth yr Arglwydd i sylweddoli eu hewyllys eu hunain. Syniad isel am weddi yw hyn, ac nid oes bendith o ofyn i Dduw wneud y peth a ofynnwn yn y ffordd a ddymunem. Sylwch ar weddi wirioneddol Moody:

Defnyddia fi, O Arglwydd, i ba amcanion ac ym mha ffordd bynnag y mynni. Dyma fy nghalon dlawd, llestr gwag; llanw hi â'th ras. Dyma fy enaid pechadurus ac anniddig; bywha ac adnewydda ef â'th gariad. Cymer fy nghalon a gwna hi'n drigfa i Ti; cymer fy nhafod i draethu ar led ogoniant Dy enw; cymer fy serch a'm holl alluoedd i hyfforddi y neb a gredo ynot; na ad i sefydlogrwydd fy ffydd lesgáu fel y gallwyf ddywedyd o'm calon bob amser, 'Y mae ar Iesu fy eisiau ac arnaf innau ei eisiau yntau.'

D. L. MOODY

## YR AIL DDYDD

Bai mawr llawer o bobl ydyw mai mewn rhan o Dduw y credant. Credant yn ei Gariad, a chan anghofio popeth arall, tybiant y gallant berswadio Duw i roddi iddynt yr hyn a geisiant. Am fod Duw yn dosturiol a charedig, meddant, dyry i'r plentyn bopeth y digwydd i'r plentyn ofyn amdano. Nid ydynt yn credu yn Noethineb Duw, y gŵyr Ef beth sydd orau i ni. Nid ydynt yn credu yn Ewyllys Duw, fod ganddo gynllun i gymeriad a galwad pob un ohonom. Pan gredo dynion yn y cwbl a wyddom am Dduw, fod ganddo amcan doeth a da ar gyfer pob un ohonom ac ar gyfer yr holl fyd, yna y daw gweddi yn ymgais i agor ein bywyd fel y gall Dduw wneud a fynno trwom.

> Yna daeth Iesu gyda hwy i le a elwir Gethsemane, ac meddai wrth y disgyblion, 'Eisteddwch yma tra byddaf fi'n mynd fan draw i weddïo.' Ac fe gymerodd gydag ef Pedr a dau fab Sebedeus; a dechreuodd deimlo tristwch a thrallod dwys. Yna meddai wrthynt, 'Y mae f'enaid yn drist iawn hyd at farw. Arhoswch yma a gwyliwch gyda mi.' Aeth ymlaen ychydig, a syrthiodd ar ei wyneb gan weddïo, 'Fy Nhad, os yw'n bosibl, boed i'r cwpan hwn fynd heibio i mi; ond nid fel y mynnaf fi, ond fel y mynni di.' Daeth yn ôl at y disgyblion a'u cael hwy'n cysgu, ac meddai wrth Pedr, 'Felly! Oni allech wylio am un awr gyda mi? Gwyliwch, a gweddïwch na ddewch i gael eich profi. Y mae'r ysbryd yn barod ond y cnawd yn wan.' Aeth ymaith drachefn yr ail waith a gweddïo, 'Fy Nhad, os nad yw'n bosibl i'r cwpan hwn fynd heibio heb i mi ei yfed, gwneler dy ewyllys di.' A phan ddaeth yn ôl fe'u cafodd hwy'n cysgu eto, oherwydd yr oedd eu llygaid yn drwm. Ac fe'u gadawodd eto a mynd ymaith i weddïo y drydedd waith, gan lefaru'r un geiriau drachefn.

MATHEW 26: 36-44

O Arglwydd, gwyddost pa beth sydd orau i ni, bydded popeth yn ôl Dy ewyllys Di. Dyro i ni fel y gweli orau, a'r hyn a weli orau, a'r pryd a weli orau. Delia â ni fel y meddyli yn dda, rhynger Dy fodd ynglŷn â ni. Gosod ni yn y lle i wneud yr hyn sydd dda yn Dy olwg. Dy weision ydym, yn barod i bopeth, canys ni ddymunwn fyw i ni ein hunain, ond i Ti, ac O na fedrem wneud yr hyn a ddymuni yn deilwng ac yn weddus. Amen.

THOMAS À KEMPIS (1379-1471)

## Y TRYDYDD DYDD

A phan fyddwch yn gweddïo, peidiwch â bod fel y rhagrithwyr; oherwydd y maent hwy'n hoffi gweddïo ar eu sefyll yn y synagogau ac ar gonglau'r heolydd, er mwyn cael eu gweld gan ddynion. Yn wir, 'rwy'n dweud wrthych, y mae eu gwobr ganddynt eisoes. Ond pan fyddi di'n gweddïo, dos i mewn i'th ystafell, ac wedi cau dy ddrws gweddïa ar dy Dad sydd yn y dirgel, a bydd dy Dad sydd yn gweld yn y dirgel yn dy wobrwyo.

MATHEW 6: 5, 6

Ystyriwn bwysiced ydyw Unigedd yn ein bywyd lle rhoir cyfle i lais Duw lefaru wrthym. Gellir rhoddi enghreifftiau o'r pwys a rydd dynion prysur ar werth Unigedd. Medd y bardd Syr Walter Savage Landor, 'Rhag-ystafell Duw ydyw unigedd; dim ond un cam oddiyno a sefwch ym mhresenoldeb Duw ei hunan.' Dywed Goethe, y bardd Almaenig, 'Ni all neb gynhyrchu dim o bwys heb iddo ymneill+tuo i'r unigeddau.' Ysgrifennodd y Cadfridog Gordon at ei chwaer, 'Bendith fawr ydyw sicrhau tawelwch — ni ddichon neb glywed llais Duw yng nghanol rhuthr ymweliadau — rhaid i ddyn fod fwy neu lai yn yr anialwch i fedru defnyddio cloriannau'r cysegr i weld a phwyso gwir werth pethau a dywediadau.' Ac medd rhywun na ŵyr neb pwy, 'Dyn anghyffredin yw hwnnw a all roddi edau trwy nodwydd, ac yntau yng nghanol dwndwr y dorf.' Yng nghanol dryswch ein gorchwylion ac ymryson tafodau, faint o amser a roddwch i unigedd?

O Dduw, a dywysi'r addfwyn mewn barn, ac a roddi oleuni mewn tywyllwch i'r cyfiawn; dyro inni, yng nghanol ein pryderon a'n hamheuon, y gras i ofyn i Ti am yr hyn sydd gennyt ar ein cyfer; am i ysbryd Doethineb ein cadw rhag dewis ffôl, a dyro inni weld goleuni yn D'oleuni Di. Ac ar hyd dy lwybr union Di, na ad i'n traed lithro, trwy Iesu Grist ein Harglwydd. Amen.

WILLIAM BRIGHT


## Y PEDWERYDD DYDD

Y mae gwerth anhraethol mewn gweddi, oherwydd mewn gweddi disgyblir dyn i wrando ar Dduw. Darllener y detholiad a

ganlyn o Salm 81, a gwelir y drafferth a gaiff Duw i gael gan bobl
wrando arno:

> Gwrando, fy mhobl, a dygaf dystiolaeth yn dy erbyn.
> O na fyddit yn gwrando arnaf fi, Israel! . . .
> Ond ni wrandawodd fy mhobl ar fy llais,
> ac nid oedd Israel yn fodlon arnaf;
> felly anfonais hwy ymaith yn eu cyndynrwydd
> i wneud fel yr oeddent yn dymuno.
>
> O na fyddai fy mhobl yn gwrando arnaf,
> ac na fyddai Israel yn rhodio yn fy ffyrdd!
>
> SALM 81: 8, 11-13

O Arglwydd, ni wn pa beth a ddylwn ei ofyn gennyt; Tydi yn
unig a wŷr fy angen; ceri Di fi yn well nag a garaf fy hunan. O
Dad, dyro i Dy blentyn yr hyn na wŷr sut i ofyn amdano. Nid
gwiw gennyf ofyn am groesau na chysuron. Gosodaf fy hunan
ger Dy fron, agoraf fy nghalon i Ti. Gwêl fy angen a dyro i mi
yn ôl Dy drugaredd rasol. Rho ddyrnod neu wên i mi; gostwng
neu dyrchafa fi; moliannaf Dy holl amcanion heb eu gwybod; yr
wyf yn dawel; offrymaf fy hunan yn aberth; ymostyngaf i Ti; ni
fynnaf unrhyw amcan arall ond gwneuthur Dy ewyllys. Dysg fi
i weddïo. Amen.

FENELON (1651-1715)

## Y PUMED DYDD

> Atebodd Iesu hwy, 'Nid eiddof fi yw'r hyn yr wyf yn ei ddysgu,
> ond eiddo'r hwn a'm hanfonodd i.' Pwy bynnag sy'n ewyllysio
> gwneud ei ewyllys ef, caiff hwnnw wybod a yw'r hyn yr wyf yn ei
> ddysgu yn dod oddi wrth Dduw, ai ynteu siarad ohonof fy hunan
> yr wyf. Y mae'r dyn sy'n siarad ohono'i hun yn ceisio anrhydedd
> iddo'i hun; ond y dyn sy'n ceisio anrhydedd i'r hwn a'i
> hanfonodd, y mae hwn yn ddiffuant, heb ddim dichell ynddo.
>
> IOAN 7: 16-18

Egyr gweddi ein bywydau i Dduw fel y gallo wneuthur ei
ewyllys ynom a thrwom. Mewn gweddi dangoswn ein hunain
yn barod i wneuthur unrhyw beth a fynno Duw. Os dywed gŵr
ieuanc, 'Yr wyf yn barod i fod yn bregethwr ond nid yn
genhadwr; yr wyf yn barod i wneuthur unrhyw beth gyda'r
canu, ond nid gyda'r Ysgol Sul a'r plant,' ni chaiff ef byth

weledigaeth o'r hyn y cais Duw iddo ei wneuthur. Ni allwn gyfyngu Duw na gosod ein hamodau ger ei fron Ef, dyna ydyw gweddi wir, EIN GOSOD EIN HUNAIN YN LLWYR AT ALWAD A GWASANAETH DUW.

O Arglwydd, na ad i mi, o hyn allan, ddymuno iechyd a bywyd, ond i'w treulio i Ti. Tydi yn unig a ŵyr beth sydd orau i mi; gwna, felly, yr hyn sydd dda yn Dy olwg. Dyro i mi, neu cymer oddi arnaf; gwna fy ewyllys yn un â'th ewyllys Di; a dyro i mi fedru derbyn Dy orchmynion gydag ymddiriedaeth sanctaidd ac ufudd-dod gostyngedig; a dyro i mi fedru canmol popeth a ddaw i mi oddi wrthyt Ti; trwy Iesu Grist ein Harglwydd. Amen.

PASCAL (1623-62)

## Y CHWECHED DYDD

> Jacob, ni elwaist arnaf fi,
> ond blinaist arnaf, Israel.
>
> ESEIA 43: 22

> Ac nid oes neb yn galw ar dy enw,
> nac yn trafferthu i afael ynot;
> cuddiaist dy wyneb oddi wrthym,
> a'n traddodi i afael ein camweddau.
>
> ESEIA 64: 7

Y mae'r proffwyd yn condemnio bywyd di-weddi'r genedl, a sylwch mor gyfiawn yw ei gyhuddiad i'w herbyn. Y MAE BYWYDAU NA ALL DUW WNEUTHUR DIM OHONYNT. Y bywyd heb Unigedd ynddo, lle clywir llais Duw; y bywyd nad yw yn agor ei hunan i dderbyn arweiniad Duw; y bywyd heb y cymundeb hwnnw sy'n rhoddi cyfleustra i ddylanwadau oddi wrth Dduw weithio. Meddyliwch am y pethau y mae ar Dduw eisiau eu rhoddi a'u gwneuthur trwy ein bywydau, ond fod ein bywyd di-weddi yn rhwystro Ei ewyllys.

O Dduw Hollalluog, a Thad Trugarocaf, dyro i ni y gras i fedru chwilio ein calonnau, a'n meddyliau dirgelaf, fel y gwelom sut y safwn ger Dy fron; ac fel na'n tynner i wneuthur dim a ddichon gywilyddio Dy enw. Gwna ni'n ddiwyd ym mhob daioni, ac yn Dy wasanaeth sanctaidd Di hyd derfyn ein dyddiau. Crea ynom ddyhead i gerdded yn berffaith yn Dy olwg, fel y gwedda i'r neb a alwyd i etifeddiaeth y goleuni yng Nghrist. Amen.

GEORGE HICKS (1642-1715)

## Y SEITHFED DYDD

Gyda'r nos, a'r haul wedi machlud, yr oeddent yn dwyn ato yr holl gleifion a'r rhai oedd wedi eu meddiannu gan gythreuliaid. Ac yr oedd yr holl dref wedi ymgynnull wrth y drws. Iachaodd ef lawer oedd yn glaf dan amrywiol afiechydon, a bwriodd allan lawer o gythreuliaid, ac ni adawai i'r cythreuliaid ddweud gair, oherwydd eu bod yn ei adnabod. Bore trannoeth yn gynnar iawn, cododd ef ac aeth allan. Aeth ymaith i le unig, ac yno yr oedd yn gweddïo. Aeth Simon a'i gymdeithion i chwilio amdano; ac wedi dod o hyd iddo dywedasant wrtho, 'Y mae pawb yn dy geisio di.' Dywedodd yntau wrthynt, 'Awn ymlaen i'r trefi nesaf, imi gael pregethu yno hefyd; oherwydd i hynny y deuthum allan.' Ac fe aeth drwy holl Galilea gan bregethu yn eu synagogau hwy a bwrw allan gythreuliaid.

MARC 1: 32-39

Crist, yn blygeiniol iawn, mewn lle anghyfannedd yn gweddïo! Darlun rhyfedd! Y Meistr mawr yn unig mewn lle anghyfannedd yn gweddïo am nerth i fynd ymlaen. O'i ôl 'roedd llafur caled Capernaum, ac o'i flaen daith bregethu galed. Yr oedd cynddaredd y Phariseaid yn cau amdano, a gweddïai'r Athro am nerth i ddal.

Ddarllenydd, os oedd angen nerth ar y Gwaredwr, gelli benderfynu bod angen nerth arnat tithau. Os mewn gweddi ddirgel y cafodd Crist ei nerth, mewn gweddi ddirgel y cei dithau ef hefyd.

Mewn cymundeb mewnol â Duw y daw nerth inni. Gwyn fyd pe credem hyn yn llwyrach. Dyna newid a fyddai yn ein bywyd! Oni fuasai'n bywyd yn llawer grymusach? Oni fuasai'n heiddilwch yn ffoi, a nerth yn cymryd ei le?

Dywedir am Napoleon yr arferai sefyll yn ei babell o flaen pob brwydr fawr, a deuai heibio iddo ei gadlywyddion a chapteiniaid ei fyddin, a gafael yn ei law mewn distawrwydd a mynd allan a dewrder newydd ganddynt, a phenderfyniad newydd i farw yn ddewr dros Ffrainc. Gwyn fyd y neb a ŵyr gyfrinach gweddi, canys gŵyr yntau am beth cyffelyb.

40

O Arglwydd, ein Duw bendigedig, Tydi ydyw Heddwch y byd, a'th ewyllys ydyw denu pob dyn i fwynhau llawenydd Dy gymdeithas. Llefara wrth dy weision sydd yn gwrando arnat. Cymer ni wrth ein dwylo a sibrwd wrthym, 'Nac ofnwch canys yr wyf Fi gyda chwi, gelwais chwi wrth eich enwau, yr eiddof fi ydych.' Rho ysbryd ymddiried cryf ynom fel y ffy pob ofn a phryder, ac fel y rheoler ein bywyd gan dawelwch a thangnefedd. Mewn tawelwch ac ymddiriedaeth y bo'n nerth a'n cadernid. Dangos inni fyd wedi ei reoli a'i gyfarwyddo gennyt Ti, a rho inni deimlo o'n cwmpas ym mhobman dy alluoedd tirion ac anweledig. Dyro inni gymdeithas felys â'th feddwl a'th fywyd Di. Dyro inni gofio nad ysbryd ofn a roddi i neb, ond ysbryd nerth a chariad. Dyro ffydd fuddugoliaethus inni, a gwroldeb, a chalon hyderus, a chariad sydd yn llewyrchu ar bawb, er mwyn Dy gariad Di. Amen.

SAMUEL M'COMB

*　　　*　　　*　　　*

Y mae Duw oll yn hawddgar, er ei fod yn ofnadwy; ac ni allwn fod yn hir yn ei wyddfod heb ei garu; ac wrth ei garu yr ymdebygwn iddo. Fel y mae rhai yn ceisio bod yn foneddig heb gymdeithasu â gŵyr boneddig, felly y mae rhai yn ceisio bod yn berffaith, ac yn cyrraedd rhyw fath o berffeithrwydd cymeradwy gan ddynion, heb rodio ger bron Duw. Gall rhinweddau dynol y rhain fod yn aml ac amlwg, ond nid oes ganddynt mo'r dwyfol anian; ac nid oes ganddynt mo'r peth cyfrin a llednais hwnnw y gellir ei alw yn ddwyfol dôn. Y mae gan uchel deulu Duw ryw oslef, a rhyw osgedd, a rhyw agweddion, nad oes gan feibion dynion mohonynt. Y mae cymaint o ragor rhwng dynion moesol a dynion duwiol ag sy rhwng cerrig garw'r briffordd a chabol-feini'r afon. Meibion y Dwyrain, sef pobl etholedig Duw, ac nid trigolion y 'West End' yw pobl y moesau mirain.

EMRYS AP IWAN

41

## Y Bumed Wythnos:
## ANAWSTERAU A RHWYSTRAU

### Y DYDD CYNTAF

Ond beth bynnag oedd yn ennill i mi, yr wyf, er mwyn Crist, wedi ei gyfrif yn golled. A mwy na hynny hyd yn oed, yr wyf yn dal i gyfrif pob peth yn golled, ar bwys rhagoriaeth y profiad o adnabod Crist Iesu fy Arglwydd, yr un y collais bob peth er ei fwyn. Yr wyf yn cyfrif y cwbl yn ysbwriel, er mwyn imi ennill Crist a'm cael ynddo ef, heb ddim cyfiawnder o'm heiddo fy hun yn seiliedig ar y Gyfraith, ond hwnnw sydd trwy ffydd yng Nghrist, y cyfiawnder sydd o Dduw ar sail ffydd.

PHILIPIAID 3: 7-9

Buom hyd yma'n sôn am freintiau gweddi, ond gweddus fyddai aros yma i sôn am y gost y mae'n rhaid ei thalu am y breintiau hyn. Gwyddai Paul yn dda fod yn rhaid cyfrif rhai pethau yn golled er mwyn ennill 'ardderchowgrwydd gwybodaeth Crist Iesu'. OS MYNNI FEDRU GWEDDÏO YN IAWN, RHAID I TI DALU'N DDRUD AM HYNNY. Dywedir fod Raphael, yr arlunydd mawr, yn gwisgo cannwyll yn ei gap, rhag i'w gysgod ddisgyn ar ei waith. Oni ddrysir llawer dyn gan ei gysgod ei hun? Difethir gweddïau llawer dyn gan ei gysgod ei hun. Y mae rhai pethau mewn bywyd y mae'n rhaid i ni ymwadu â hwy, os mynnwn fedru gweddïo. Rhaid inni wisgo ar ein talcennau gannwyll hunanymwadu. Meddyliwch am y pechodau a goleddir gennym, a'r tymherau drwg, a'r anghariad, a'r eiddigedd, a'r genfigen sy'n gwneud gweddi wir yn anodd yn ein bywyd.

O Arglwydd tyred yn fuan a theyrnasa ar Dy orsedd, oblegid y mae pethau eraill oddi mewn inni yn ceisio meddiannu Dy orsedd Di; balchder, cybydd-dod, aflendid a seguryd a gais fod yn frenhinoedd arnom; y mae enllib a dicter a chas yn ceisio teyrnasu arnom. Ceisiwn eu gwrthwynebu trwy floeddio, 'Nid oes gennym ond Crist yn frenin arnom.' O Frenin Tangnefedd, tyrd a theyrnasa ynom, canys ni fynnwn frenin ond Tydi. Amen.

BERNARD SANT (1091-1153)

## YR AIL DDYDD

Peidiwch â phryderu am ddim, ond ym mhob peth gwneler eich deisyfiadau yn hysbys i Dduw trwy weddi ac ymbil, ynghyd â diolchgarwch. A bydd tangnefedd Duw, sydd goruwch pob deall, yn gwarchod dros eich calonnau a'ch meddyliau yng Nghrist Iesu. Bellach, frodyr, beth bynnag sydd yn wir, beth bynnag sydd yn anrhydeddus, beth bynnag sydd yn gyfiawn a phur, beth bynnag sydd yn hawddgar a chanmoladwy, pob rhinwedd a phopeth yn haeddu clod, myfyriwch ar y pethau hyn.

PHILIPIAID 4: 6-8

Yn yr adnodau hyn dangosir yn glir iawn y cysylltiad sydd rhwng 'gweddi' a 'meddwl'. Ni ddaw meddyliwr salw byth yn weddïwr mawr. Nid oes dim yn llesteirio cymundeb dilestair â Duw yn fwy na meddyliau isel a brwnt a ffiaidd. Nid oes neb a all droi o ganol meddyliau felly i gymundeb rhydd â Duw. HUNANDDISGYBLAETH MEWN MEDDWL DIDOR ydyw'r pris a delir am weddi wir, y pur o galon a wêl Duw.

O Dad tirion, dyro feddyliau a dyheadau pur yn ein calonnau fel y bwrier allan bob myfyrdod ofer a phechadurus. O Ysbryd purdeb a gras, glanha feddyliau ein calonnau, a thyred â ni i gaethiwed cyfraith Crist. Cyfeiria'n meddyliau fel y meddyliom yn barhaus am ba bethau bynnag sydd gyfiawn, bur, hawddgar a chanmoladwy. Na theyrnased yr un meddwl llygredig arnom. Tyrd i mewn i aelwyd ein henaid. Ehanga ac adnewydda hi, a chysegra hi i Ti dy hunan, fel y gallom Dy garu a'th wasanaethu â'n holl nerth. Gwared ni rhag hudoliaeth pleserau gau, a rhag swyn chwantau sy'n darostwng. Llanw ein llygaid â phrydferthwch tragwyddol daioni, fel y gwelom bechod yn ei liw priodol. Cadw ni yn ein corff oddi allan, ac yn ein henaid oddi mewn, a thuedda ni i barchu'r deddfau a osodaist ar gyfer corff ac enaid. Er mwyn Iesu Grist. Amen.

SAMUEL M'COMB

43

## Y TRYDYDD DYDD

Paid â bod yn fyrbwyll â'th enau na bod ar frys o flaen Duw. Y mae Duw yn y nefoedd, ac yr wyt ti ar y ddaear, felly bydd yn fyr dy eiriau.

LLYFR Y PREGETHWR 5: 2

Yn fynych iawn y mae'n angenrheidiol i ni wneud paratoadau arbennig ar gyfer gweddi. Ni fuasai neb ond y rhyfygus yn rhuthro yn anfoesgar i bresenoldeb dyn mawr; a phaham y mae'n rhaid i ni fod yn fwy hy gyda Duw Tragwyddoldeb? Oni ddylem feddwl yn ddwys cyn dyfod ato, a threfnu ein mater a pharatoi ein meddyliau a chwilio ein bywydau?

O Arglwydd, lladd yn llwyr y pechod sy'n barod i'n hamgylchu; rho ffrwyn ar ein chwantau annuwiol; atal y meddwl drygionus; pura'r tymer; rheola'r ysbryd a chywira'r tafod; gogwydda ein hewyllys a'n haddoliad atat Ti, a sancteiddia a darostwng ni. Gosod Dy orsedd yn ein calon, a diorsedda yr holl eilunod a'r holl bethau daearol y rhoddwn gymaint pris arnynt. Teyrnasa yno yn llawnder Dy ras ac yng nghysuron Dy bresenoldeb hyd oni theyrnaswn gyda Thi mewn gogoniant. Amen.

RICHARD S. BROOKE (1835-93)

## Y PEDWERYDD DYDD

O Arglwydd fy Nuw, llefaraf am gymorth yn y dydd,
a gwaeddaf o'th flaen yn y nos.
Doed fy ngweddi hyd atat,
tro dy glust at fy llef.

Yr wyf yn llawn helbulon,
ac y mae fy mywyd yn ymyl Sheol . . .
Ond yr wyf fi yn llefain arnat ti am gymorth, O Arglwydd,
ac yn y bore daw fy ngweddi atat.
O Arglwydd, pam yr wyt yn fy ngwrthod,
ac yn cuddio dy wyneb oddi wrthyf?

SALM 88: 1-3, 13, 14

Os darllenwch y Salm, ac fe dâl i chwi wneud hynny, chwi welwch fod y Salmydd yn gwybod am WEDDÏO YN WYNEB ANAWSTERAU. Dyma rai o anawsterau pob gweddïwr mawr. Nid yw Duw yn ymddangos yn real bob amser; y mae'n anodd dyfalbarhau mewn gweddi, ac y mae ysbryd dyn ambell dro yn teimlo nad oes tinc gywir yn ei weddi. Ysgrifennodd y dyn mawr Benjamin Jowett eiriau fel hyn yn ei ddyddlyfr:

'Nid oes dim yn dangos gymaint o dlodi a baster cymeriad dyn na'r anawsterau a gaiff mewn gweddïo. Y mae meddyliau am hunan, a meddyliau am ddrygioni, a rhyw ddychmygion di-les yn cael lle parod yn y meddwl. Ond y mae'n anodd cael gan feddyliau am Dduw, ac am gyfiawnder a gwirionedd aros ond ym meddyliau ychydig o ddynion. Ni fedraf ddeall fy hunan yn hyn o beth. Meddyliaf weithiau nad oes dim a ddymunaf yn fwy na chael adnabod Duw, ac eto ni fedraf am ddau funud gadw fy meddwl arno. Ond pan ddarllenwyf ryw ffug-chwedl, ni fedraf dynnu fy meddwl oddi wrthi. Pe bawn yn caru Duw o ddifrif, oni fuasai fy meddwl yn aros gydag EF?'

Gweddi:

Arglwydd Grasol, Tydi sydd yn rhoddi dyhead yng nghalon dyn, ac yn diwallu y dyhead hwnnw â phethau da. Yr ydym yn gofidio na fedrwn lefaru wrthyt, na'th glywed Dithau yn llefaru wrthym ninnau. Adfywia ddylni a sychder ein bywyd mewnol. Dyro inni ddyfalbarhau fel na roddom heibio weddïo arnat, er inni fethu dros amser a chael cysur na llawenydd yn hynny. Ehanga ar ddymuniadau ein calonnau fel y'n tynner atat Ti. Anfon Dy Ysbryd i'n calonnau a chynorthwya ein gwendid. Dyro inni fyfyrio ar Dy ddaioni; ac ar y bendithion a daeni ar ein llwybrau; pâr inni feddwl am ddirgelwch Dy fyd, am warth pechod a thristwch angau, nes bydd ein calonnau yn tanio a'r galon yn ymdoddi mewn diolch a mawl. Arglwydd, dysg inni weddïo'r weddi rydd ollyngdod i'r ysbryd beichus, ac a ddaw â'th fendith gyfoethog inni. Clyw ni er mwyn Crist. Amen.

SAMUEL M'COMB

Nid yw achau teuluoedd ond rhwyd a weodd naturiaeth, yn yr hon y mae pryf copyn balchder yn llechu. Nid wyt ti nes er dyfod ohonot o dywysogion Cymru, onid wyt ti yn un o had Tywysog brenhinoedd y ddaear, wedi dy eni nid o ewyllys gŵr, ond o'r Had anllygredig. Rhaid i ti, er glaned wyt oddi allan gael newid dy naturiaeth oddi fewn, neu fe'th losgir yn dy blu, a'th

foneddigeiddrwydd a'th synnwyr dy hunan. Ac am gred a
bedydd dyfrllyd, nid yw hyn fwy na gwelltyn yn y domen, oni
chei di gyda hyn yr ail-enedigaeth.

MORGAN LLWYD O WYNEDD


## Y PUMED DYDD

> Gwrando ar fy ngeiriau, Arglwydd,
>   ystyria fy nghwynfan;
> clyw fy nghri am gymorth,
> fy mrenin a'm Duw.
> Arnat ti y gweddïaf, Arglwydd;
> yn y bore fe glywi fy llais.
> Yn y bore paratoaf ar dy gyfer,
> ac fe ddisgwyliaf.

SALM 5: 1-3

Darllenwch adnodau'r Salm hon yn ofalus, a sylwch fel y
mae'r Salmydd yn annog CYSONDEB mewn gweddi. Y mae
prysurdeb a rhuthr ein bywyd yn peryglu gweddi, ac yn bygwth
ei yrru yn llwyr o'n bywyd, ac y mae gwir angen ymarferiad
cyson ar y mwyafrif ohonom. Hen arferiad annwyl mewn llawer
teulu yng Nghymru wledig ydyw neilltuo rhyw chwarter awr
bob bore a'i dreulio mewn gweddi, ac yr oedd hyn yn arferiad
ymysg llawer o fechgyn a merched y Brifysgol pan oeddwn ym
Mangor — ein henw ni ar y chwarter awr hwn oedd
'Gwyliadwriaeth y Bore'. Onid ardderchog o beth fyddai inni
roddi'n bywyd i Dduw bob bore — ei gyflwyno ef iddo i
wneuthur a fynno ag ef.

O Arglwydd, dyro yn fy nghalon ffydd wirioneddol, a gobaith
dyrchafol a chariad diffuant atat Ti; dyro imi ymddiriedaeth
lwyr ynot, sêl tanbaid trosot, parch at bopeth a berthyn i Ti;
dyro arswyd ynof rhag Dy ddigio, gwna fi'n ddiolchgar am Dy
drugareddau, yn ostyngedig pan geryddi fi, yn dduwiolfrydig
yn Dy wasanaeth, ac yn edifeiriol am fy mhechodau; dyro imi
ymddwyn ym mhob dim fel y gweddai i greadur wneuthur yng
ngŵydd ei Greawdwr, a gwas yng ngŵydd ei Arglwydd. Gwna
fi'n ddiwyd yn fy holl ddyletswyddau, yn wyliadwrus rhag pob
temtasiwn, yn bur ac yn gymedrol. Na ad i'r pethau a roddi i mi

46

i'w mwynhau fod yn fagl i mi ymddwyn tuag at fy nghymydog fel na throseddwyf Dy Ddeddf Frenhinol o garu fy nghymydog fel fi fy hun. Dyro i mi dosturi a thrugaredd fel y gallwyf eu gweinyddu i bawb, i gyfeillion a gelynion, yn ôl Dy orchymyn a'th esiampl. Amen.

THOMAS À KEMPIS (1379-1471)

*Pwy yw eich gwron?*

Wrandawyr, pwy yw eich gwron? Pwy yr ydych yn meddwl fwyaf amdano? Pwy yr ydych yn ei ganmol fwyaf mewn prydyddiaeth ac mewn cerddoriaeth? Pwy yr ydych yn ei fawrygu fwyaf yn nirgelfa'ch calon? Ai'r Duw trugarog a graslawn a gyhoeddodd ei enw i Moses, ac a'i datguddiodd ei hun yng Nghrist Iesu yn Dduw addfwyn a gostyngedig o galon, ai ynte dyn o fath Cain neu Lamech neu Nimrod? Gwybyddwch fod y Duw hwn yn Dduw eiddigus, na all oddef i chwi addoli neb llai nag ef, na gosod neb arall ger ei fron ef. Y mae pob dyn yn rhy fach i dderbyn addoliad, ac yn rhy fawr i roddi addoliad i un dyn arall. Y mae fod dyn wedi ei greu i ogoneddu Duw yn dangos ei fod yn fawr, er ei fod yn fach. 'Byddwch gan hynny ddilynwyr Duw, fel plant annwyl.' Dyma'r unig nod y gellwch ei ddynwared heb ddarostwng eich hunain. Peth anweddus yw i frodyr ddynwared eu brawd, ond y mae'n weddus i blant bychain ddynwared eu Tad. Wrth ddynwared dyn, y maent yn myned yn ddynion eu hunain. Yn awr, y mae'n Tad yr hwn sydd yn y nefoedd mor fawr fel y mae'r plant yn peidio â bod yn blant wrth ei ddynwared ef; yn y man, fe beidiant â bod yn ddynion hefyd; ant yn dduwiau wrth addoli Duw.

EMRYS AP IWAN

## Y CHWECHED DDYDD

Ymhen chwe diwrnod dyma Iesu'n cymryd Pedr ac Iago ac Ioan a mynd â hwy i fynydd uchel o'r neilltu ar eu pennau eu hunain. A gweddnewidiwyd ef yn eu gŵydd hwy, ac aeth ei ddillad i ddisgleirio'n glaerwyn, y modd na allai unrhyw bannwr ar y ddaear eu gwynnu. Ymddangosodd Elias iddynt ynghyd â Moses; ymddiddan yr oeddent â Iesu. A dywedodd Pedr wrth Iesu,

'Rabbi, y mae'n dda i ni fod yma; gwnawn dair pabell, un i ti ac un i Moses ac un i Elias.'

MARC 9: 2-5

Onid naturiol iawn oedd i Bedr ddymuno cael aros ar ben y mynydd? Onid peth i'w ddisgwyl oedd iddo ddyheu am i'r profiad dwys barhau? Ond nid oedd hynny'n bosibl. Nid yw dwyster profiad pen y mynydd yn aros byth, ond rhydd nerth a gweledigaeth inni i gyflawni gwaith y dyffryn yn fwy diwyd. Gwyn dy fyd os medri estyn bys at oriau hyfryd a gefaist ar ben y mynydd. Trysora'r atgof amdanynt yn ofalus, y maent yn cadarnhau'r gwirionedd fod Duw gyda ni, y maent yn dystiolaeth fyw i'n mabolaeth ag Ef. Daw profiad arall i ti yn dy fywyd crefyddol — profiad y weddi waedlyd yng ngardd Gethsemane. Y mae un o frawddegau Fenelon yn werth ei thrysori ar gof — 'Na ddigalonna oherwydd dy feiau: bydd amyneddgar i'w cywiro. Disgyblwch eich hunain ac ewch â gweddi i holl orchwylion eich bywyd beunyddiol. Llefarwch, symudwch, gweithiwch mewn tangnefedd, fel pe baech mewn gweddi.'

O Dduw, Tydi a'n darganfuost ni, a nyni a'th ddarganfu Di. Ambell dro ni'th welwn ond megis mewn niwl; y mae tawch y ddaear yn cymylu D'ogoniant. Ond ar brydiau eraill, mewn munudau bendigedig, dyrchefi arnom Dy lewyrch, ac adwaenwn Di fel Goleuni ein holl weld, ac fel Bywyd popeth sydd heb farw ynom, yn Rhoddwr iechyd a meddyginiaeth, yn Ddatguddiwr tangnefedd a gwirionedd. Nid amheuwn dystiolaeth ein profiadau, ynddynt hwy siaredi wrthym. Gorfoleddwn am wneuthur ohonot nyni ar Dy lun a'th ddelw. Dy gariad a roes fod inni, ac a'n bendithiodd â chynhysgaeth ysbrydol; yn y meddwl sydd â'i feddyliau yn crwydro drwy dragwyddoldeb; yn y gwybod a ddug dystiolaeth i'th gyfiawnder tragwyddol; yn y serchiadau a felysa fywyd, ac sy'n ymestyn atat Ti, O Garwr Dynoliaeth — yn y rhain fe'n gwneir yn etifeddion goludoedd Dy ras.' Amen.

SAMUEL M'COMB

*Gweld cyfle i weithio*

Rhaid dal ar y cyfle. Llygad i ddal ar y cyfle ydyw dirgelwch llwyddiant dynion yn y byd, a cholli cyfle sydd wedi andwyo miloedd. Os ydych yn blant y dydd y mae gennych ryw reddf ysbrydol i weld eich cyfle o hyd. Fydd dim eisieu pwyllgor i'ch penodi, na gweinidog na blaenor i'ch cymell; chwi welwch gyfle o hyd, oblegid plant y dydd ydych. Yr oedd digon o ryw ryddfrydigrwydd yn Simon y Pharisead i wahodd yr Iesu i'r wledd yn ei dŷ, ond nid oedd digon o fonheddwr na Christion ynddo i ymddwyn yn deilwng ato wedi ei wahodd. Ond dacw ryw bechadures fawr, wedi cael gras mawr gan yr Athro, yn gweld ei chyfle mewn munud, ac yn torri y blwch ennaint ar unwaith ar ei ben, ac yn golchi ei draed â'i dagrau a'u sychu â gwallt ei phen. Sut y gwnaeth hi hynny? O, gras y Meistr oedd wedi rhoddi llygaid iddi i weld ei chyfle. Ni fuasai callineb pwyllgor byth yn breuddwydio am y fath beth. Golau dydd yr Efengyl ddangosodd y cyfle iddi, nid cannwyll frwyn synnwyr y byd.

Allan o bregeth JOHN WILLIAMS, Brynsiencyn

## Y SEITHFED DYDD

O Dduw fy moliant, paid â thewi.
Oherwydd agorasant eu genau
   drygionus a thwyllodrus yn fy erbyn,
a llefaru wrthyf â thafod celwyddog,
a'm hamgylchu â geiriau casineb,
ac ymosod arnaf heb achos.
Am fy ngharedigrwydd y'm cyhuddant,
a minnau'n gweddïo drostynt.

SALM 109: 1-4

Y mae'n rhaid i ti dalu'n ddrud am y bywyd gweddïgar gwir. Pa bethau y mae'n rhaid i mi eu talu? Bywyd glân, meddwl yn gywir, paratoi'n fanwl, dangos diwydrwydd yn wyneb anawsterau, cysondeb ac amynedd. Ond y mae deall cyfrinach gweddi lwyddiannus yn werth pob trafferth a phris y gofynnir i ti ei dalu. 'Minnau a arferaf weddi', medd y Salmydd, ac os cafodd y Salmydd elw o'r arferiad, bydd sicr y cei dithau hefyd. A ddarllenasoch erioed yr hyn a ddywedodd Luther am y bywyd gweddïgar? 'Am hynny, lle y mae Cristion, yno hefyd y mae'r Ysbryd Glân, ac ni wna ddim arall ond gweddïo yn ddibaid. Canys er nad yw'r genau yn symud bob amser ac yn llefaru geiriau, eto y mae'r galon yn curo yn ddi-daw gyda dyheadau fel hyn, "O Dad annwyl, sancteiddier Dy Enw, a deled Dy Deyrnas, a gwneler Dy ewyllys." A phan ddêl treialon a gofidiau, yna y mae'r dyhead a'r cri yn cynyddu nes dyfod yn hyglyw, fel na cheir Cristion nad ydyw'n gweddïo; mwy nag y ceir dyn byw nad yw ei galon yn curo yn ddibaid a chyson, er i'r dyn fod yn cysgu ac yn anwybodol fod ei galon yn curo.'

*Sut mae gweddïo?*

(a)   Gweddïa rhai gan roddi eu gliniau i lawr fel Paul. Actau 20: 36.

(b)   Gweddïa rhai yn eu sefyll fel Jeremeia. Jeremeia 18: 20.

(c)   Gweddïa rhai ar eu heistedd fel Dafydd. II Sam. 7: 18.

(ch) Gweddïa rhai ar eu hwyneb fel Iesu. Mathew 26: 39.

(d)   Gweddïa rhai yn ddistaw bach fel Hannah. I Samuel 1: 13.

(dd) Gweddïa rhai â llef uchel fel Eseciel. Eseciel 11: 13.

(e)   Gweddïa rhai yn y Deml fel Hesecia. II Bren. 19: 14.

(f)   Gweddïa rhai yn y dirgel. Salm 93: 6.

(ff)  Gweddïa rhai yn yr awyr agored fel gwas Abram. Genesis 24: 11-12.

Sylwch fel y mae'r Salmydd yn priodoli holl ryfeddodau'r nefoedd, codiad yr haul a llewyrchiad y sêr a'r lloer, yn uniongyrchol i ddylanwad Duw. Gwyddom fod y cwbl o dan ddylanwad Deddf, a meddwl rhai oherwydd fod y pethau hyn a phob peth arall yn gorfod plygu i ddeddf nad oes a wnelo Duw fawr â hwy. Y mae'r byd yma yn edrych fel rhyw beiriant mawr yn rhedeg ei hunan ac yn ei reoli ei hunan, a Duw yn ymddangos ymhell iawn oddi wrth ei fyd, ac yn ein horiau duaf yr ydym yn amau a ydyw Duw yn cymryd diddordeb yn ei fyd o gwbl. Mor hyfryd darllen adnodau fel hyn pan ddaw'r felan felly heibio i ni.

Diolch i Ti, O Dduw am y cread, ein cartref mawr; am ei

gyfoeth ac am ei ehangder, ac am y bywyd amryfal sy'n heigio arno ac ynddo. Yr ydym ninnau'n rhan o'r bywyd hwnnw. Diolchwn i Ti am awyr las, a gwyntoedd hyfryd, am gymylau crwydrol a sêr gwibiog. Bendithiwn Dy enw am y môr mawr hallt, ac am ddyfroedd gloywon rhedegog. Ni fedrwn beidio Dy ganmol am y mynyddoedd tragwyddol a'r coed a'r glaswellt o dan ein traed. Diolch i Ti am y synnwyr a roddaist i ni i weld ysblander y bore, ac arogleuo anadl y gwanwyn. Dyro inni, atolwg, galon ar agor led y pen i fwynhau yr holl lawenydd a thegwch, ac na ad i ofalon du a nwydau annuwiol staenio'n heneidiau fel na allom weld hyd yn oed y llwyn drain yn fflam dan ogoniant Duw. Amen.

WALTER RAUSCHENBUSCH

*Crefydd*

Aeth gŵr i ofyn am ddiffiniad o grefydd gan Rabbi enwog, a dyma fel y gofynnodd,

'A fedrwch chwi tra'n sefyll ar un goes ddywedyd wrthyf beth yw crefydd?'

Meddyliodd y Rabbi mai cellwair yr oedd y dyn, a gyrrodd ef yn ddiseremoni dros y drws. Ond ni thorrodd y gŵr ei galon ac aeth at Rabbi oedd yr un mor enwog a gofynnodd i hwnnw drachefn,

'A fedrwch chwi tra'n sefyll ar un goes roddi diffiniad i mi o grefydd?'

Gwelodd y Rabbi ergyd y gofyniad, mai gofyn am ddiffiniad byr a chwta o grefydd oedd amcan y gŵr. Dyma'r ateb a gafodd, 'Na wna i arall yr hyn na fynni i arall ei wneuthur i ti.' Onid ydyw ateb y Rabbi yn debyg i eiriau Crist?

*Y Chweched Wythnos:*
## GWEDDI NAS ATEBWYD

## Y DYDD CYNTAF

Yr oracl a ddaeth at Habacuc y
proffwyd mewn gweledigaeth.
Am ba hyd, Arglwydd, y gwaeddaf am gymorth,
a thithau heb wrando,
ac y llefaf arnat, 'Trais!',
a thithau heb waredu?
Pam y peri imi edrych ar ddrygioni,
a gwneud imi weld blinder?
Anrhaith a thrais sydd o'm blaen,
cynnen a therfysg yn codi.
Am hynny, â'r gyfraith yn ddi-rym,
ac nid yw cyfiawnder byth yn llwyddo;
yn wir y mae'r drygionus yn amgylchu'r cyfiawn,
a daw cyfiawnder allan yn wyrgam . . .
Ti, sydd â'th lygaid yn rhy bur i edrych ar ddrwg,
ac na elli oddef camwri,
Pam y goddefi ddynion twyllodrus,
a bod yn ddistaw pan fydd y drygionus
yn traflyncu un mwy cyfiawn nag ef ei hun?

HABACUC 1: 1-4, 13

A weddïaist ti erioed, ddarllenydd, heb dderbyn ateb i dy weddi? Afraid ydyw gofyn y cwestiwn; bu i bawb eu gweddïau nas atebwyd. Beth oedd dy brofiad yn wyneb y gweddïau hyn? A siglodd dy ffydd? Dylem ein hatgofio'n hunain yn fynych nad erfyniad a deisyfiad a gofyn ydyw gweddi, o leiaf, nid hyn ydyw'r gweddïo mwyaf. Y mae hyd yn oed paganiaid wedi gweld hyn, canys dywed un ohonynt. 'Nid ceisio cymell y duwiau i newid cwrs pethau ydyw gweddi, ond y rhodd a roir ganddynt o gymuno â hwynt.' Dyma fynd yn agos iawn at ystyr gweddi Gristnogol. Diflannai llawer o'n hanawsterau pe cofiem mai moddion i gymuno â'r Anfeidrol ydyw gweddi.

O Dad, diolchwn i Ti am y bendithion sydd yn newydd bob bore. Am gwsg ac iechyd a nerth; am ddiwrnod arall a'i gyfleustra i weithio a gwasanaethu; am yr holl bethau hyn a mwy y diolchwn i Ti. Cyn mynd allan ac edrych ar wynebau dynion, edrychwn ar Dy wyneb Di, ein hiechydwriaeth a'n Duw. Ofnwn fynd allan i wynebu tasgau a dyletswyddau'r dydd heb i Ti arwain. Nertha ni fel y byddom yn ffyddlon yn ein holl waith; ymysg treialon gwna ni'n deyrngar; mewn dioddefaint yn amyneddgar; mewn siomiant yn obeithiol ynot Ti. Gwrando ni yn hyn, er mwyn Dy ddaioni. Amen.

SAMUEL M'COMB

*A wyt ti yn credu yn Iesu Grist?*

Beth ydyw ffydd ynddo? Meddwl mawr am Iesu Grist, meddai Mr. Roberts, Amlwch, a hwnnw'n mynd yn fwy o hyd. A phan weli di hawddgarwch yr Iesu ti weli hagrwch pechod y foment honno, ac fel yr aiff Crist yn fwy hawddgar aiff pechod yn fwy hagr. Fe ddywedir mai'r compliment uchaf a gafodd Arglwydd Tennyson erioed oedd un a gafodd gan ddyn â golwg arw iawn arno, pan oedd y prifardd yn cerdded un diwrnod yn Covent Gardens. Yr oedd Tennyson, chwi wyddoch, yn ŵr hardd iawn ei berson a'i wedd, a diwylliant a chrefydd wedi ei harddu yn fwy byth. Gwyddai'r dyn amdano trwy glywed yn dda, ond y diwrnod hwnnw fe'i gwelodd am y tro cyntaf, ac fe gafodd yr olwg ar ei harddwch ddylanwad rhyfedd arno. Cerddodd y dyn at Arglwydd Tennyson a chyfarchodd ef yn foesgar, a dweud, 'Mr. Tennyson, 'rwy'n deall. A welwch chwi fi, syr? Yr wyf fi wedi bod yn feddw am chwe diwrnod o'r saith diwethaf yma, ond os gwnewch chi ysgwyd llaw â mi, mi af ar fy llw na feddwaf byth eto.'

O Bregethau JOHN WILLIAMS, Brynsiencyn

## YR AIL DDYDD

Mor ddwfn i mi yw dy feddyliau, O Dduw,
ac mor lluosog eu nifer!
Os cyfrifaf hwy, y maent yn amlach na'r tywod,
a phe gorffennwn hynny, byddit ti'n parhau gyda mi . . .

Chwilia fi, O Dduw, iti adnabod fy nghalon;
profa fi, iti ddeall fy meddyliau.
Edrych a wyf ar ffordd a fydd yn loes i mi,
ac arwain fi yn y ffordd dragwyddol.

SALM 139: 17, 18, 23 a 24

Sylwch ar syniad y Salmydd am weddi! Nid 'gofyn' ydyw gweddi iddo ef, ond cyfrwng i osod bywyd mewn cywair priodol, a'i gadw mewn cytgord parhaus ag ewyllys Duw. Edrych ar weddi fel agoriad y galon i Dduw chwilio i mewn iddi.

Clywsom am ddyn a drowyd at Grist o dan weinidogaeth gweinidog duwiol ac enwog. Bu'r dyn yn byw yn frwnt iawn. Ymhen tipyn ar ôl ei dröedigaeth gofynnodd y gweinidog iddo sut oedd y frwydr i fyw y bywyd newydd yn mynd ymlaen, ac atebodd y dyn, 'Y mae hi'n galed iawn, syr, ond diolch i Dduw deliais fy ngafael hyd yma. Cariaf ddarlun bach o fy mam yn fy mhoced, a phan aiff y demtasiwn bron yn drech na mi, tynnaf hwnnw allan ac edrychaf arno, a chaf finnau wared o enbydrwydd y demtasiwn.' Ddarllenydd, gall gweddi fod i tithau yn foddion i edrych ar dy Arglwydd yn awr y demtasiwn enbyd.

O Dduw hollalluog, a ddangosaist i mi, trwy Dy ras, faint a ffieidd-dra fy mhechodau, na thyn Dy ras a'th drugaredd oddi wrthyf, fel y gallwyf fod yn wir edifeiriol ger Dy fron am holl feiau fy oes. Atolwg, Dad tosturiol, dyro imi edifeirwch llwyr, fel y sicrhawyf Dy drugaredd a'th faddeuant, a dyro Dy nerth i mi i fyw o hyn allan amgenach bywyd, a rhoddi llwyrach gwasanaeth i Ti, er mwyn Iesu Grist. Amen.

## Y Cwrdd Gweddi

Mewn Cwrdd Gweddi y ganwyd yr Eglwys fore, ac mewn Cwrdd Gweddi yr adnewyddodd ei nerth. Y Cwrdd Gweddi ydyw thermometer yr eglwys; dyma sy'n profi'r gwres sydd ynddi. Y Cwrdd Gweddi hefyd ydyw barometer yr eglwys, ac yn dangos inni gawodydd bendithlon, neu sychder mawr. A mwy na hyn, trwy'r Cwrdd Gweddi y sicrheir y cawodydd bendithlon hyn.

# Y TRYDYDD DYDD

Ceisiwch yr Arglwydd tra gellir ei gael,
galwch arno tra bydd yn agos.
Gadawed y drygionus ei ffordd,
a'r dyn anwir ei fwriadau,
a dychwelyd at yr Arglwydd, iddo drugarhau wrtho,
ac at ein Duw ni, oherwydd fe faddau'n helaeth.
'Oherwydd nid fy meddyliau i yw eich meddyliau chwi,
ac nid eich ffyrdd chwi yw fy ffyrdd i,' medd yr Arglwydd.
'Fel y mae'r nefoedd yn uwch na'r ddaear,
y mae fy ffyrdd i yn uwch na'ch ffyrdd chwi,
a'm meddyliau i na'ch meddyliau chwi.
Fel y mae'r glaw a'r eira yn disgyn o'r nefoedd,
a heb ddychwelyd yno yn dyfrhau'r ddaear,
a gwneud iddi darddu a ffrwythloni,
a rhoi had i'w hau a bara i'w fwyta,
felly y mae fy ngair sy'n dod o'm genau;
ni ddychwel ataf yn ofer,
ond fe wna'r hyn a ddymunaf,
a llwyddo â'm neges.

ESEIA 55: 6-11

'Waeth imi heb weddïo,' medd y dyn, ac efallai dy fod tithau, ddarllenydd, wedi dweud hynny lawer gwaith. Buost yn gweddïo rywdro ers llawer dydd, ond nid atebwyd dy weddi y pryd hynny, ac nid wyt yn gweddïo bellach. Peth afresymol ydyw gwneuthur gweddïau nas atebwyd gynt yn esgus dros beidio gweddïo mwy. Pa un sydd bwysicaf, dy ddymuniadau di, ynteu ewyllys Duw? Sail gweddi Eseia yn yr adnodau uchod oedd ffydd ddiysgog yn Rhagluniaeth Duw, ac yn ei ddoethineb ragorol ac yn ei drugaredd ryfedd. Na fyddwn fel plantos yn sorri onid ydyw Duw yn ein plesio bob amser. Y mae'n dda mai Ef ac nid nyni sydd yn rheoli'r byd.

Drugarog Dad, gelwaist ni atat Ti drwy gariad ac addewidion aneiri; a thyston ydym nad ofer ydyw galw ar Dy enw mawr; medrwn dystio i Dy ffyddlondeb. Dy addewidion Di sydd Ie ac Amen. Tu hwnt i'n dychymyg ni yw Dy ddaioni. Diolchwn i Ti am freintiau gweddi, ac am Dy atebion i'n gweddïo: a llawenhawn nad fel y dymunwn yr atebi Di. Deillion ydym yn ceisio'r pethau na wnant les inni. Darfuasai amdanom pe rhoddid inni y cwbl a ofynnwn amdano. Rhoddwn i'n plant y pethau a farnwn orau iddynt; a thithau, O Dad, sydd yn goruwchlywodraethu ein hanwybodaeth a'n methiannau, ac yn rhoddi inni, nid y pethau y gofynnwn amdanynt, ond y pethau y dylem ofyn amdanynt, ac o ddydd i ddydd gwaredi ni rhag distryw trwy Dy gariad gofalus. Amen.

HENRY WARD BEECHER

Gwrando gyngor yr hen Ieremi Taylor i ti, ddarllenydd: 'Gochel gwmni annuwiolion a phobl fusneslyd, a phawb sy'n siarad llawer i bwrpas bychan; canys ni all neb werthfawrogi ei amser sy'n annoeth yn dewis ei gwmni. Na wna waith Duw yn esgeulus ac yn ddioglyd, ac na foed dy galon ar y byd a'th law yn ddyrchafedig mewn gweddi.'

## Y Cwpan a roddes y Tad i mi

'Y cwpan a roddes y Tad i mi, onid yfaf ef,' meddai. Y mae'n chwerw ofnadwy mae'n wir; dafn ohono fuasai'n syfrdanu rhengau o angylion; diferyn ohono fuasai'n hurtio bydoedd; ond myfi a'i hyfaf i'r gwaelod, oblegid 'y cwpan a roddes y Tad i mi' yw. Mae mwy o felyster yn ei yfed nag sydd o chwerwder yn ei gynnwys. Mae blas gwneuthur ewyllys fy Nhad yn fwy na holl wermod y dioddef i gyd.'

O Bregethau JOHN WILLIAMS, Brynsiencyn


# Y PEDWERYDD DYDD

A rhag i mi ymddyrchafu o achos rhyfeddod y pethau a ddatguddiwyd imi, rhoddwyd draenen yn fy nghnawd, cennad oddi wrth Satan, i'm poeni, rhag imi ymddyrchafu. Ynglŷn â hyn deisyfais ar yr Arglwydd dair gwaith ar iddo'i symud oddi wrthyf. Ond dywedodd wrthyf, 'Digon i ti fy ngras i; mewn gwendid y daw fy nerth i'w anterth.' Felly, yn llawen iawn fe ymffrostiaf fwyfwy yn fy ngwendidau, er mwyn i nerth Crist orffwys arnaf.

II CORINTHIAID 12: 7-9

A ddarfu i ti ystyried erioed fod Duw yn ateb dy weddïau mewn ffordd annisgwyl, ac efallai, mewn ffordd nad yw wrth dy fodd di? Ystyriwch brofiad yr Apostol Paul yn y darlleniad uchod.

Yr wyt yn fynych yn meddwl fod y nefoedd yn fud, ond dyry Duw ateb i'th weddi mewn ffordd na ddisgwyliaist iddo ateb. Y gamp fawr yn fynych ydyw adnabod atebion Duw i dy weddi.

O Arglwydd, maddau dlodi a gwaeledd ac ofn plentynnaidd ein gweddïau. Na wrando ar ein geiriau, ond ar yr ocheneidiau na ellir eu gwisgo mewn iaith; na wrando ar ein deisyfiadau, ond ar gri ein hangen. Gweddïwn yn fynych am yr hyn nas cawn byth, a gweddïwn yn fynych am yr hyn y mae'n rhaid i ni ei ennill, ac ymdrechwn am yr hyn a ddaw inni trwy weddi'n unig. Mor fynych y gweddïasom, 'Deled Dy Deyrnas', a phan ddaeth, nyni a'i rhwystrodd, ac a fuom eiddgar am i'r deyrnas ddyfod i'n calonnau ni. Teimlwn ein bod yn sefyll rhyngot ag angen dyn a rhyngom ni ein hunain a'r hyn y dichon inni fod. Nid oes gennym ymddiried yn ein nerth, a'n teyrngarwch, a'n dewrder. Dyro inni garu D'ewyllys a cheisio Dy deyrnas yn bennaf peth. Gwasgara'n hofnau a'n gwendid rhag ein cael yn ymladd yn D'erbyn Di. Amen.

> Gwyliasom y Dwyfol Grochenydd
> A'i Olwyn gan ddagrau yn llaith,
> Mae'r seraffim llosg a'u hadenydd
> Yn cuddio patrymau Ei waith.
> Ond weithiau daw swp o friallu
> O'r Olwyn, ac weithiau daw byd,
> Ac weithiau daw teyrnas i'w gallu,
> Ac weithiau daw baban i'w grud;
> Ac weithiau daw ynys neu blaned,
> Ac weithiau forgrugyn bach gwan,
> Ond nid oes greadur a aned
> Na threfnwyd ei le ar y Plan.

CYNAN — yn *Yr Ynys Unig*

# GWEDDI FEL DYHEAD DOMINYDDOL

## .Y PUMED DYDD

Ymhlith y rhain y mae Duw wedi gosod yn yr eglwys, yn gyntaf apostolion, yn ail broffwydi, yn drydydd athrawon, yna cyflawni gwyrthiau, yna doniau iacháu, cynorthwyo, cyfarwyddo, llefaru â thafodau. A yw pawb yn apostol? A yw pawb yn broffwyd? A yw pawb yn athro? A yw pawb yn gyflawnwr gwyrthiau? A oes gan bawb ddoniau iacháu? A yw pawb yn llefaru â thafodau? A yw pawb yn dehongli? Ond rhowch eich bryd ar y doniau gorau. Ac yr wyf yn dangos i chwi ffordd ragorach fyth. Os llefaraf â thafodau dynion ac angylion, a heb fod gennyf gariad, efydd swnllyd ydwyf, neu symbal aflafar.

I CORINTHIAID 12: 28 - 13: 1

Paham y methwn mor aml yn ein gweddïau?

Buom yn ceisio ateb y cwestiwn, ond cydnebydd pawb mai achos ein gweddïo methiannus ydyw hyn; NID YDYM YN DEISYFU YR HYN A GEISIWN YN EIN GWEDDÏAU. Gweddïwn yn fynych am gael gwared o ryw arferiad aflan yn ein bywyd, ond ni roddwn i fyny y cwmni a phethau eraill sy'n peri i'r arferiad ffynnu. Gofynnwn am i Dduw ein gwared o ryw bechod, ond ni fynnwn losgi'r pontydd y daw'r pechod trostynt i'n bywydau.

O Dduw, Dy Ysbryd Di sy'n chwilio popeth, Dy gariad Di sy'n cynnal popeth, rho help inni ddyfod atat gyda chywirdeb ysbryd a gwirionedd. Gwared ni rhag Dy addoli â'n gwefusau a'n calonnau ymhell oddi wrthyt. Cynorthwya ni i fwrw heibio y rhith a wisgwn ger bron dynion, a dyfod o'th flaen yn ein gwendid, a'n hafiechyd a'n pechod, yn noethion yn Dy olwg.

Gwna ni yn ddigon cryf i fedru dal golwg ar y gwirionedd, a bwrw heibio bob twyll a hoced a rhagrith, fel y gwelom bethau fel y maent heb ofni mwyach. Dyro olwg inni ar y cariad a fu'n cyd-ddwyn â ni, a'r galon sy'n dioddef trosom. Dysg inni gydnabod ein dibyniad ar y purdeb sy'n goddef ein bryntni, yr amynedd sy'n maddau ein hanffyddlondeb, y gwirionedd sy'n goddef ein holl dwyll a chyfaddawd. Dyro inni'r gras o ddiolchgarwch, ac awydd ein cysegru ein hunain i Ti. Amen.

W. E. ORCHARD

## Y CHWECHED DDYDD

Am hynny y mae teyrnas nefoedd yn debyg i frenin a ben-derfynodd adolygu cyfrifon ei weision. Dechreuodd ar y gwaith, a dygwyd ato was oedd yn ei ddyled o ddeng mil o godau o arian. A chan na allai dalu gorchmynnodd ei feistr iddo gael ei werthu, ynghyd â'i wraig a'i blant a phopeth a feddai, er mwyn talu'r ddyled. Syrthiodd y gwas ar ei liniau o flaen ei feistr a dweud, 'Bydd yn amyneddgar wrthyf, ac fe dalaf y cwbl iti.' A thostur-iodd meistr y gwas hwnnw wrtho; gollyngodd ef yn rhydd a maddau'r ddyled iddo. Aeth y gwas hwnnw allan a daeth o hyd i un o'i gydweision a oedd yn ei ddyled ef o gant o ddarnau arian; ymaflodd ynddo gerfydd ei wddf gan ddweud, 'Tâl dy ddyled'. Syrthiodd ei gydwas i lawr a chrefodd arno, 'Bydd yn amynedd-gar wrthyf, ac fe dalaf iti.' Ond gwrthododd; yn hytrach fe aeth a'i fwrw i garchar hyd nes y talai'r ddyled. Pan welodd ei gydweision beth oedd wedi digwydd, fe'u blinwyd yn fawr iawn, ac aethant ac adrodd yr holl hanes wrth eu meistr. Yna galwodd ei feistr ef ato, ac meddai, 'Y gwas drwg, fe faddeuais i yr holl ddyled honno i ti, am iti grefu arnaf. Oni ddylit tithau fod wedi trugarhau wrth dy gydwas, fel y gwneuthum i wrthyt ti? Ac yn ei ddicter traddododd ei feistr ef i'r poenydwyr hyd nes y talai'r ddyled yn llawn. Felly hefyd y gwna fy Nhad nefol i chwithau os na faddeuwch bob un i'w frawd o'ch calon.

MATHEW 18: 23-35

Yn ein gweddi am 'faddeuant' y gwelir yn fynych anghywir-deb ein gweddïau. Gall y gofyn am bardwn fod yn beth arwynebol iawn. Y mae byd o wahaniaeth rhwng edifarhau am bechod ac am ganlyniadau pechod.

Mor ysgafn a difeddwl y gofynnwn am faddeuant! Y gwir edifeirwch ydyw ffieiddio'n pechod fel y byddom yn ein teimlo ein hunain yn frodyr i bob pechadur, a medru dweud fel y dywedodd Richard Baxter wrth weld nifer o lofruddion yn mynd i'r dienyddle, 'Dacw Richard Baxter oni bai am ras Duw.' Bydd gweddi dyn a gafodd y profiad hwn yn sicr o fod yn gywir a gonest, ac annichon fydd i neb a deimlodd hyn beidio â maddau i eraill.

O Chwiliwr calonnau, adwaenost ni yn well na ni ein hunain, a gweli ynom bechodau na fynnwn ni mo'u gweld. Eithr dwg ein cydwybod dystiolaeth i'n herbyn y cysgwn yn aml yn ystod oriau ein gwyliadwriaeth, na cherddwn yn garuaidd â'n gilydd ac â Thydi, ac nad ymroddwn yn llwyr i gyflawni Dy ewyllys. Edrych arnom yn edifeiriol o'th flaen, a chynorthwya ein gwendid, a dyro i'r codiad haul wawrio yn ein calonnau, a thyrd â nerth ac iechyd a llawenydd inni. Dyro inni dyfu yn feunyddiol mewn ffydd a hunanymwadu a chariad, a chaffer ynom feddwl Crist. Amen.

JAMES MARTINEAU (1805-1900)

## Y SEITHFED DYDD

Nid wyf fi mwyach yn y byd, ond y maent hwy yn y byd. Yr wyf fi'n dod atat ti. O Dad sanctaidd, cadw hwy'n ddiogel trwy dy enw, yr enw a roddaist i mi, er mwyn iddynt fod yn un fel yr ydym ni yn un. Pan oeddwn gyda hwy, yr oeddwn i'n eu cadw'n ddiogel trwy dy enw, yr enw a roddaist i mi. Gwyliais drostynt, ac ni chollwyd yr un ohonynt, ar wahân i fab colledigaeth, i'r Ysgrythur gael ei chyflawni. Ond yn awr yr wyf yn dod atat ti, ac yr wyf yn llefaru'r geiriau hyn yn y byd er mwyn i'm llawenydd i fod ganddynt yn gyflawn ynddynt hwy eu hunain. Yr wyf fi wedi rhoi iddynt dy air di, ac y mae'r byd wedi eu casáu hwy, am nad ydynt yn perthyn i'r byd, fel nad wyf finnau'n perthyn i'r byd. Nid wyf yn gweddïo ar i ti eu cymryd allan o'r byd, ond ar i ti eu cadw'n ddiogel rhag yr Un drwg. Nid ydynt yn perthyn i'r byd, fel nad wyf finnau'n perthyn i'r byd. Cysegra hwy yn y gwirionedd. Dy air di yw'r gwirionedd. Fel yr anfonaist ti fi i'r byd, yr wyf fi'n eu hanfon hwy i'r byd. Ac er eu mwyn hwy yr wyf fi'n fy nghysegru fu hun, er mwyn iddynt hwythau fod wedi eu cysegru yn y gwirionedd.

Ond nid dros y rhain yn unig yr wyf yn gweddïo, ond hefyd dros y rhai fydd yn credu ynof fi trwy eu gair hwy. 'Rwy'n gweddïo ar iddynt oll fod yn un, ie, fel yr wyt ti, O Dad, ynof fi a minnau ynot ti, iddynt hwy hefyd fod ynom ni, er mwyn i'r byd gredu mai tydi a'm hanfonodd i.

IOAN 17: 11-21

A fyddi di ambell dro, ddarllenydd, yn gweddïo dros gyfeillion? Byddi, yn ddiau, a cheisi feddwl wrth wneuthur hynny dy fod yn berffaith anhunanol. Yn fynych iawn nid yw ein gweddïau dros ein cyfeillion yn ddim ond ffurf, canys nid yw ein gweddïau trostynt yn peri inni feddwl yn ddwys am eu hanghenion, a pharchu eu teimladau, a chydymddwyn â'u gwendidau, a llawenhau yn eu llwyddiant. Nid ydym yn meddwl digon am ein cyfeillion i wneud ein gweddïau trostynt yn effeithiol.

Meddyliwch am gariad yr Athro Mawr at ei ddisgyblion, y modd y dangoswyd y cariad hwnnw, yr ebyrth a wnaeth er mwyn bod yn ffyddlon iddo.

O Arglwydd, a Gwaredwr bendigaid, a orchymynaist inni garu ein gilydd, dyro ras i ni fel y carom bob dyn ynot ac er Dy fwyn. Dyro Dy drugaredd i bawb, ac yn enwedig i'r cyfeillion a roddaist inni. Câr di hwynt, O ffynhonnell pob cariad, a gwna iddynt dy garu Di â'u holl feddwl, â'u holl galon ac â'u holl nerth, fel yr ewyllysiont y pethau a ewyllysi Di, a siarad a gwneuthur y pethau a fo da yn dy olwg Di. Ac er mai claear yw ein gweddïau oherwydd diffyg cariad, eto cyfoethog mewn trugaredd ydwyt ti. Na fesur Dy ddaioni iddynt yn ôl ein defosiwn gwannaidd ni; ond fel y mae Dy drugaredd tu hwnt i bob serch dynol, felly bydded Dy wrando yn fwy na'n gweddïau. Gwna yr hyn sydd dda iddynt, yn ôl Dy ewyllys, fel y gallont, wedi eu harwain a'u hymgeleddu gennyt, ennill bywyd tragwyddol; ac i Ti y byddo'r clod a'r moliant yn oes oesoedd. Amen.

ANSELM (1033-1109)

## CRI PROFFWYD A GWAREDWR

## Y DYDD CYNTAF

Â pha beth y dof o flaen yr Arglwydd,
a phlygu gerbron y Duw uchel?
A ddof ger ei fron â phoethoffrymau,
neu â lloi blwydd?
A fydd yr Arglwydd yn fodlon ar filoedd o hyrddod
neu ar fyrddiwn o afonydd olew?
A rof fy nghyntafanedig am fy nghamwedd,
fy mhlant fy hun am fy mhechod?
Dywedodd wrthyt, ddyn, beth sydd dda,
a'r hyn a gais yr Arglwydd gennyt:
dim ond gwneud beth sy'n iawn,
 caru ffyddlondeb,
a rhodio'n ostyngedig gyda'th Dduw.

MICHA 6: 6-8

Ddarllenydd, cais droi'r adnodau uchod i iaith heddiw! Â pha
beth y deuaf ger bron yr Arglwydd Iesu Grist, ac yr ymgrymaf
ger bron y Duw sydd yn gariad? Gwrando hyn: nid yw
seremonïau allanol yn ddim, yn ddim yn ei olwg Ef. Nid yw dy
gredoau di yn ddim iddo Ef. Nid yw'r ffaith dy fod yn cael hwyl
fawr wrth wrando pregethau yn ddim i Dduw. Ni wna mynd i'r
Cwrdd Gweddi y tro dros dy anwiredd, ni wna mynd i'r seiat y
tro dros bechod dy enaid. Tripheth a gais Duw gennyt ti —
Gwneuthur barn, Hoffi trugaredd, Ymostwng i rodio gyda
Duw.

Y mae Micha yn ei fedd ers llawer canrif, ond y mae cannoedd
yn ein heglwysi na wyddant ddim am dri phen ei bregeth fawr.
Y mae cannoedd yn llechu yn anonest yn ein heglwysi
Cristnogol na fuasai hyd yn oed Micha yn eu harddel fel
crefyddwyr. Oni ddeallwn neges Micha, pa fodd y deallwn
neges y Crist? Gwelaist y baban yn cropian ar hyd yr ystafell,

wel, dyna gropian crefyddwr — gwneuthur barn, hoffi trugaredd, ymostwng i rodio gyda Duw.

A wnei di, ddarllenwr mwyn, wrando ar eiriau gwron a labyddiwyd dros Grist yng Ngogledd Affrica: 'Y neb a fynno dy gael Di, O Arglwydd, aed allan i'th geisio mewn cariad, mewn ffyddlondeb, mewn ffydd, mewn gobaith, mewn cyfiawnder, mewn trugaredd ac mewn gwirionedd; canys pa le bynnag y mae'r rhain, yno hefyd yr wyt Tithau.'

O Dad y goleuni, a Duw pob gwirionedd, glanha'r byd oddi wrth ei gyfeiliornad, ei drais, ei lygriadau a'i bechodau. Dymchwel luman Satan, a dyrchafa ym mhobman faner y Crist. Diddyma lywodraeth pechod, a sefydla ym mhob calon deyrnas gras. Bydded gostyngeiddrwydd yn drech na balchder ac uchelgais; caffed cariad y llaw uchaf ar gas a llid a malais; gorchfyged purdeb a chymedroldeb bob trythyllwch a rhysedd. Bydded addfwynder yn drech na nwyd, a thlodi ysbryd a dihunangarwch yn drech na chybydd-dod a chariad at y byd a dderfydd. Ffynned Efengyl Crist trwy'r byd i gyd. Amen.

Fel y bydd dyn yn myned o'r byd hwn, felly yn union y bydd efe yn myned i'r byd arall. Bydd yn dechrau ei fyd yno yn y man y darfu iddo'i ddiweddu yma. Na thybied neb y gwnel angau well gwaith arno nag a wnaeth yr Ysbryd Glân ac ordinhadau'r Efengyl.'

EMRYS AP IWAN

## YR AIL DDYDD

'Yr wyf yn casáu, yr wyf yn ffieiddio eich gwyliau;
nid oes imi bleser yn eich cynulliadau crefyddol.
Er ichwi aberthu imi boethoffrymau a bwydoffrymau,
ni allaf eu derbyn;
ac nid edrychaf ar eich offrymau hedd o'ch anifeiliaid bras.
Ewch â sŵn eich caneuon oddi wrthyf,
ni wrandawaf ar gainc eich telynau.
Ond llifed barn fel dyfroedd
a chyfiawnder fel afon gref.

AMOS 5: 21-24

Pa le y mae'r Amos a daranai yn ein herbyn ni heddiw? Y mae angen ei bregeth rymus arnom yn y dyddiau hyn, os bu ei hangen erioed. Cymaint o egni ac ynni a werir ar bethau nad ydynt yn hanfodol ynglŷn â chrefydd, a chyn lleied a wnawn â phethau sydd o bwys tragwyddol. Nid oes dim yn ein digalonni yn fwy na gweld dynion wedi ymgolli gyda phethau damweiniol eu crefydd, a 'phethau trymach y gyfraith' yn esgeulus ganddynt.

Beth yw eich ffurfiau crefyddol? Dim, a llai na dim, onid yw cyfiawnder yn treiglo fel dwfr. Cymerwch eich crefydd ambell dro i awyr iach agored Duw; y mae perygl i chi ei mygu o'i chadw mewn lle mor fach.

Gwrandewch y geiriau hyn gan ŵr a dreuliodd ei oes i wasanaethu bechgyn tlodion Llundain: 'Nid yw o bwys brwynen i mi pa enwad y perthyni iddo, nid wyf yn malio dim pa gredoau arbennig a arddeli, ond y mae o bwys tragwyddol fod dy gredo yn dy wneuthur yn allu er daioni ymysg dy gyd-ddynion.' Clywn lawer o siarad am gredo a chyffes ffydd a phethau felly, ond cofiwch pan ysgrifennodd Duw gredo inni, gwnaeth hyny nid mewn geiriau a ddichon newid eu hystyron o oes i oes, ond gosododd FYWYD ger ein bron. Beth mae hyn yn ei brofi? Profi y gall diwinyddiaeth newid a dynion ddadleu a cholli tymherau ynglŷn ag o, ond crefydd sydd FYWYD, a rhaid yw ei fyw.

Gweddi: Arwain fi, dysg fi, nertha fi, fel y bwyf cystal ag y mynni Di imi fod — pur ac addfwyn; geirwir ac unplyg; dewr a galluog; cwrtais a hael, defnyddiol ac ufudd. Amen.

\*     \*     \*     \*

Hiraeth am Dduw, nid eisiau dim gan Dduw, ond eisiau Duw ei hun ydyw crefydd. Mae'r syniad o gariad a phellter mewn hiraeth. Enaid yn hiraethu am ei gartref — dyn yn teimlo oddi cartref yn y byd yma. Bydolrwydd yw'r gwadiad mwyaf pendant o grefydd. Dyn â hiraeth am ei fro ei hun, ac yn teimlo fod gorau'r byd yma yn rhy fach iddo. Wyddost ti rywbeth am deimlad fel yna? Dynion duwiol iawn sydd fel yna? Nage, wyddost ti ddim am grefydd o gwbl oni wyddost ti rywbeth am y teimlad yna. Enaid â hiraeth am ei gartref.

T. CHARLES WILLIAMS

# Y TRYDYDD DYDD

Beth a wnaf i ti, Effraim? Beth a wnaf i ti, Jwda?
Y mae dy ffyddlondeb fel tarth y bore,
    fel gwlith sy'n codi'n gynnar.
Am hynny, fe'u drylliais trwy'r proffwydi,
fe'u lleddais â geiriau fy ngenau,
a daw fy marn allan fel goleuni.
Oherwydd ffyddlondeb a geisiaf, ac nid aberth,
gwybodaeth o Dduw yn hytrach nag offrymau.

HOSEA 6: 4-6

Y mae yn ein mysg bobl sy'n cysylltu daioni a chrefydd â'r deml a'r cysegr a'r capel. Ai mewn teml y trig Duw? Y mae Ef yn byw yn holl ymdrechion plant dynion.

Fe gofia'r darllenydd y defnydd a wnaeth yr Iesu o'r darn uchod o'r Ysgrythur. Eisteddodd unwaith i fwyta gyda phublicanod a phechaduriaid, a thro arall troseddodd reolau manwl y Saboth, ac oherwydd hyn ennyn lid a dirmyg y Phariseaid. Ei ateb Ef i'w gwrthwynebiad ydoedd: 'Ond ewch, a dysgwch pa beth yw hyn. Trugaredd yr ydwyf yn ei ewyllysio, ac nid aberth.'

Ym mha le y chwiliwch am Dduw? A ydych yn ei gyfyngu i'r eglwys neu'r capel neu'r deml? Nid yw meddwl Crist ynoch! I'r Iesu nid yn y deml yr oedd Duw yn unig ac yn bennaf, ond ym mysg angen a chyni a dioddef a phechu meibion dynion. Cofier geiriau un o bregethwyr mwyaf y ganrif o'r blaen: 'Y mae crefydd yn golygu gwaith a gwasanaeth. Y mae crefydd yn golygu gwaith mewn byd brwnt a budr. Y mae crefydd yn golygu perygl; rhoddi ergydion a derbyn ergydion yn ogystal. Y mae crefydd yn golygu gweddnewidiad. Y mae rhywun i lanhau a phuro'r byd yma, ac nid wyt ti wedi dy alw gan Dduw os oes cywilydd arnat scrwbio a sgwrio.'

O Arglwydd Hollalluog, Ffynhonnell Bywyd a Goleuni, a gyfodaist broffwydi yn yr amser gynt i hyfforddi a rhybuddio, a thrwy Dy Fab Iesu Grist a anfonaist inni apostolion ac efengylwyr a phregethwyr, anfon heddiw dyrfa o wŷr doeth a ffyddlon wedi eu meddiannu â thân y proffwydi a sêl yr apostolion, fel y bendithier Dy eglwys, ac fel y delo Dy deyrnas, ac fel y gwneler Dy ewyllys ar y ddaear megis yn y nefoedd. Amen.

Ofer i ddyn ei alw ei hun yn ddisgybl i'r Meistr, ac yntau heb feddu ysbryd gwasanaeth, na deall ei ystyr.

'Megis na ddaeth Mab y Dyn i'w wasanaethu, ond i wasanaethu, ac i roddi ei einioes yn bridwerth dros lawer.'

'A'r mwyaf ohonoch a fydd yn weinidog i chwi'.

'Yr wyf fi yn eich mysg fel un yn gwasanaethu'.

> O! na bawn yn fwy tebyg
> I Iesu Grist yn byw,
> Yn llwyr gysegru 'mywyd
> I wasanaethu Duw:
> Nid er ei fwyn ei Hunan
> Y daeth i lawr o'r ne',
> Ei roi ei Hun yn aberth
> Dros eraill wnaeth Efe.

ELEAZAR ROBERTS, Lerpwl


## Y PEDWERYDD DYDD

'Gwae chwi, ysgrifenyddion a Phariseaid, ragrithwyr, oherwydd yr ydych yn cwmpasu môr a thir i wneud un proselyt, ac wedi ei gael fe'i gwnewch ef yn ddwywaith cymaint o blentyn uffern ag yr ydych chwi.' 'Gwae chwi, arweinwyr dall sy'n dweud, "Os bydd dyn yn tyngu llw i'r deml, nid yw hynny'n golygu dim; ond os bydd yn tyngu i'r aur sydd yn y deml, y mae rhwymedigaeth arno." Ffyliaid a deillion, prun sydd fwyaf, yr aur ynteu'r deml, sy'n gwneud yr aur yn gysegredig? A thrachefn fe ddywedwch, "Os bydd dyn yn tyngu llw i'r allor, nid yw hynny'n golygu dim; ond os bydd yn tyngu i'r offrwm sydd ar yr allor, y mae rhwymedigaeth arno." Ddeillion, prun sydd fwyaf, yr offrwm ynteu'r allor, sy'n gwneud yr offrwm yn gysegredig? . . .' 'Gwae chwi, ysgrifenyddion a Phariseaid, ragrithwyr, oherwydd yr ydych yn talu degwm o fintys ac anis a chwmin, ond gadawsoch heibio bethau trymach y Gyfraith, cyfiawnder a thrugaredd a ffyddlondeb, yr union bethau y dylasech ofalu amdanynt, heb adael heibio'r lleill. Arweinwyr dall! Yr ydych yn hidlo'r gwybedyn ac yn llyncu'r camel.' 'Gwae chwi, ysgrifenyddion a Phariseaid, ragrithwyr, oherwydd yr ydych yn glanhau'r tu allan i'r cwpan a'r ddysgl, ond y tu mewn y maent yn llawn anrhaith ac anghymedroldeb. Y Pharisead dall, glanha'n gyntaf y tu mewn i'r cwpan, fel y bydd y tu allan iddo hefyd yn lân.

MATHEW 23: 15-19, 23, 24.

Ni thraethodd neb erioed yn fwy angerddol ar gyfiawnder Duw na'r proffwydi Hebreig. Cyfiawnder Duw a'i hawliau Ef ar ddynion oedd byrdwn pob pregeth. Casbeth ganddynt oedd crefydd heb weithredoedd. Rhoddodd Crist bwyslais ar yr un peth. Pregethodd Crist yr un bregeth â'r proffwydi ond yn llawer iawn mwy tanbaid. Casbeth gan ein Harglwydd hefyd grefydd heb weithredoedd. Bwriodd wawd miniog ar grefydd gyfyng, gul yr ysgrifenyddion a'r Phariseaid. Atgased ganddo eu bychandra, eu cellwair, eu culni, y pwys mawr a roddent ar bethau dibwys, a'u hanonestrwydd! Gwaeth oeddynt ac nid gwell oherwydd eu crefydd; gwell dynion fuasent hebddi; eu crefydd oedd hacrwch mwyaf eu bywyd. Y grefydd a ddylai eu gwneud yn fawrfrydig yn eu gwneud yn gul a checrus. Y grefydd a ddylai eu gwneud yn wŷr hael yn eu gwneud yn grintachlyd. I'r Meistr Mawr, prydferthwch ac nid hacrwch oedd crefydd. Ffynhonnell graslonrwydd ac ysbryd mawrfrydig, hunanangof a hunanaberth, amcan uchel a llawenydd dibaid mewn gwasanaeth. Ffynhonnell brawdoliaeth diderfynau, a chariad heb ei andwyo gan bechod ac anniolchgarwch. Rhaid i'r Duw daionus wrth ddaioni yn ei blant, a choron daioni ydyw bywyd pendant o wasanaeth i'n cydddynion.

O Arglwydd, dyro imi Dy garu â'm holl galon, ac â'm holl feddwl ac â'm holl enaid, a charu fy nghymydog er Dy fwyn Di, fel y trigo ynof gariad brawdol, a marw ynof bob cenfigen a gerwinder a drwg ewyllys. Llanw 'nghalon â meddyliau o gariad a thangnefedd a thosturi, a thrwy geisio llawenydd a daioni eraill a chydymdeimlo â hwy yn eu gofidiau a'u treialon, a bwrw ymaith bob annhegwch a beirniadaeth lem, dy ddilyn Di sydd yn gywir ac yn berffaith. Amen.

# Y PUMED DYDD

Daeth i Nasareth, lle yr oedd wedi ei fagu. Yn ôl ei arfer aeth i'r synagog ar y dydd Saboth, a chododd i ddarllen. Rhoddwyd iddo lyfr y proffwyd Eseia, ac agorodd y sgrôl a chael y man lle'r oedd yn ysgrifenedig:

> Y mae Ysbryd yr Arglwydd arnaf,
> oherwydd iddo f'eneinio
> i bregethu'r newydd da i dlodion.
> Y mae wedi f'anfon i gyhoeddi
> rhyddhad i garcharorion,
> ac adferiad golwg i ddeillion,
> i beri i'r gorthrymedig gerdded yn rhydd,
> i gyhoeddi blwyddyn ffafr yr Arglwydd.

LUC 4: 16-19

Adroddir am ryw ŵr o safle yn dweud, 'O gael crefydd, gadewch iddi fod yn ddigyffro a hamddenol.' Dyna ddymuniad lliaws o grefyddwyr hefyd — cael ffydd a chrefydd heb wasanaeth aberthgar ynglŷn â hi. Meddyliwch am yr adnodau uchod, a gwelwch mai'r peth mawr i'r Meistr oedd gwasanaeth. Nid oedd ystyr i wasanaeth a moddiannau cyhoeddus ond i hyrwyddo hyn. Pan addolai Ef y Tad, addolai Un oedd yn anfodlon 'cyfrgolli yr un o'r rhai bychain hyn.' Pan weddïai yn yr unigrwydd, meddyliai am ei gyfeillion, megis Pedr, oedd a Satan yn eu ceisio i'w nithio fel gwenith. Pan fyfyriai am anfarwoldeb a byd arall, llawenychai y cawsai'r sawl y bu'n gyfyng arnynt yma, gynnig gwell o dan 'loywach nen'. Troes y nerth hyfryd a gafodd yn y Gweddnewidiad i iacháu rhyw druan wrth droed y mynydd. Troes Iesu bob nerth a gafodd trwy gymundeb hyfryd â Duw — pob peth a gafodd o brofiad anghyffredin yn gysur ac yn wasanaeth i ddynion. Addoli a chrefydda ydyw gwasanaethu. Y mae gwasanaeth ymysg pethau urddasol ein crefydd. Ni ddeallwyd Crist erioed gan y neb sy'n breuddwydio am grefydd esmwyth. BETH YW CREFYDD I CHWI?

Uniongred! Sacramentau! Seremonïau! Defodau manwl! Uchafiaeth y Pab! Yr olyniaeth Apostolaidd! Ysbrydoliaeth y Beibl! Yr ail-ddyfodiad! Y mae'r neb sy'n meddwl am y tlawd a'u hadfyd, y caeth a'r dall a'r clwyfus a'r anghenus yn nes na thi i ysbryd Iesu Grist.

O Dduw, sydd yn oleuni i'r galon a'th edwyn, yn fywyd i'r enaid a'th garo, yn nerth i'r meddwl sy'n Dy geisio; helpia ni i'th adnabod, fel y gallom Dy garu yn wirioneddol, dy garu fel y gallom Dy wasanaethu, a'th wasanaeth Di sydd ryddid perffaith: trwy Iesu Grist ein Harglwydd. Amen.

## Y CHWECHED DYDD

Felly os wyt yn cyflwyno dy offrwm wrth yr allor, ac yno'n cofio bod gan dy frawd rywbeth yn dy erbyn, gad dy offrwm yno o flaen yr allor, a dos ymaith; myn gymod yn gyntaf â'th frawd, ac yna tyrd a chyflwyno dy offrwm.

MATHEW 5: 23-24

Y mae llawer iawn yn barod i fod yn grefyddol, ond ychydig sy'n barod i fod yn wasanaethgar hefyd. Yr heresi waethaf yn y tir ydyw credu y gellir cael crefydd heb wasanaeth. Tu ôl i'r synied yma yn aml y mae'r syniad fod Duw yn debyg i ryw frenin rhodresgar daearol yn hoffi clod a chanmol, ac mai'n hunig ddyletswydd ni ydyw rhoddi iddo'r clod a'r canmol a gais. Cyfeiliornad dybryd a pheryglus ydyw meddwl fel hyn. Y mae crefydd yn debyg i genedlgarwch neu wladgarwch. Teimlad hyfryd ydyw'r ddau ar y dechrau — teimladau hyfryd sydd wrth ein bodd. Canmolwn ein gwlad, a dyrchafwn hi mewn cân a phennill, a hyfryd gennym y gwaith. Ond daw adeg pan ddisgwyl gwlad rywbeth mwy na chanmol a chân. Y pryd hynny golyga gwladgarwch aberth a hunanymwadu, a dewrder di-ildio, ac ambell dro golyga aberthu einioes a bywyd. Felly hefyd, medd Crist, y mae Duw yn hawlio mwy nag addoliad. Y mae'n hawlio perthynas frawdol a hunanaberthol rhwng dyn a dyn. Nid ynfytyn ydyw Duw y gellir ei foddhau â rhyw druth wenieithus. Pa beth ydyw ein caneuon a'n hemynau i Dduw, oni wasanaethwn ei blant mewn gwasanaeth ardderchog? 'Nid pob un sydd yn dywedyd, Arglwydd, Arglwydd . . . ond yr hwn sydd yn gwneuthur ewyllys fy Nhad yr hwn sydd yn y nefoedd,' medd Crist.

69

O Dad tragwyddol a hollalluog, a roddaist i ddynion orchymyn newydd i garu ei gilydd; dyro inni hefyd ras fel y cyflawnom hynny. Gwna ni'n fwyn, yn gwrtais, ac yn ddiolchgar. Cyfeiria'n bywyd fel y ceisiom les ein brawd mewn gair a gweithred. Trwy rin yr Ysbryd Glân, sancteiddia inni bob cyfeillgarwch a chyfathrach; er ei fwyn Ef a'n carodd, ac a'i rhoddes ei Hun trosom, Iesu Grist ein Harglwydd. Amen.

## Y SEITHFED DYDD

> Daethant i'r ochr draw i'r môr i wlad y Geraseniaid. A phan ddaeth allan o'r cwch, ar unwaith daeth i'w gyfarfod o blith y beddau ddyn ag ysbryd aflan ynddo. Yr oedd hwn yn cartrefu ymhlith y beddau, ac ni allai neb mwyach ei rwymo hyd yn oed â chadwyn, oherwydd yr oedd wedi cael ei rwymo'n fynych â llyffetheiriau ac â chadwynau, ond yr oedd y cadwynau wedi eu rhwygo, a'r llyffetheiriau wedi eu dryllio; ac ni fedrai neb ei ddofi. Ac yn wastad, nos a dydd, ymhlith y beddau ac ar y mynyddoedd, byddai'n gweiddi ac yn ei anafu ei hun â cherrig.
>
> MARC 5: 1-5

Paham y mae cymaint o bobl barchus yn treulio bywydau mor ddi-fudd ac annefnyddiol? Oherwydd na wyddant ddim am anghenion ac amgylchiadau pobl tu hwnt i'w cylch cymdeithasol eu hunain. Pa faint ohonynt oedd wedi ceisio eu helpu? Nid aeth Crist i bentref erioed heb fynnu gwybod am yr afiach a'r anghenus a'r cythreulig. Ond, Duw a ŵyr, mor gyfyng ydyw'n bywyd ni. Nid ydym yn adnabod ein morynion yn ein ceginau, y gweithwyr yn ein ffatrïoedd, y bobl sy'n galw ar fân negeseuon wrth ein drysau beunydd, *'We deal with our fellows on a cash basis, not on a basis of human interest.'* Faint ohonoch sy'n gwybod beth yw cyflwr bywyd yn slymiau melltithiol ein trefi, ac am gyflwr pethau mewn carchardai a gwallgofdai? Faint ohonoch sy'n gwybod ac yn hidio grôt yng nghyflwr y cleifion yn eich tref eich hunan? Y mae'n ein mysg yn Llandudno ddi-waith a di-dai a chlaf a chlwyfus a helbulus, ond faint ohonom sy'n gwybod ac yn malio dim? 'PE DEUAI CRIST I LANDUDNO' — ie, ddarllenydd, meddwl beth pe deuai Ef i Landudno! Beth a ddigwyddai? Pa beth a wnâi?

Adnabod yn gyntaf oll y bobl fawr? Gwybod pwy sy'n cyfrif yn llywodraeth y dref? Adnabod y prif fasnachwyr? Gwybod pwy sy'n arwain difyrrwch a phwy yw pencampwyr y ddawns? 'Choelia i fawr! Ei orchwyl cyntaf fyddai chwilio allan y trallodus, a'r llwm, a'r pryderus, a'r beichus, a'r afiach, a'r digysur. 'O! na bawn yn fwy tebyg i Iesu Grist yn byw.'

'O Arglwydd ein Duw, cyfod a gwêl drueni'r tlawd, a chlyw ocheneidiau'r gorthrymedig. Nid wyt Ti'n derbyn wyneb. Nid yw tywysogion na chyfoethog yn fwy i Ti na'r tlawd a'r truan a'r gwan. Dyro gyfiawnder i'r gwan a'r anghenus, a deled Dy deyrnas ar y ddaear yn fuan, trwy Iesu Grist ein Harglwydd. Amen.

*    *    *    *

*Meddyliau Drwg*

Geill llawer o bethau drwg ymgynnig i'r meddwl na byddwn yn gyfrifol amdanynt oni roddwn lety a chroeso iddynt. Nid oes gennyf help os daw mintai o ladron at fy nrws i geisio derbyniad a llety; ond os croesawaf hwynt, yr wyf yn gyfrannog â hwynt. Os bydd y galon yn gwahodd meddyliau drwg i mewn, ac yn aelwyd iddynt, yn lle eu gyrru ymaith, y mae yn gydgyfrannog â hwynt, ac yn gyfrifol amdanynt; ond nid oes ganddi help fod y lladron hyn yn troi at ei drws ac yn ceisio llety ganddi. 'Meddyliau ofer a gaseais,' medd Dafydd.

WILLIAMS O'R WERN

# GWEDDÏAU CYHOEDDUS

*Ond pan fyddi di'n gweddïo, dos i mewn i'th ystafell, ac wedi cau dy ddrws gweddïa ar dy Dad sydd yn y dirgel, a bydd dy Dad sydd yn gweld yn y dirgel yn dy wobrwyo.* Mathew 6: 6.

Mae ein gweddïwyr cyhoeddus yn mynd yn brinnach o hyd, ac oni ddaw ein brodyr ieuainc i'n cynorthwyo, bydd cynnal cyfarfod gweddi cyhoeddus ymhlith y pethau a fu. Amcan y golofn hon fydd arwain ein pobl ieuainc mewn pethau defosiwn. Ond odid na chymhellir rhywrai i deimlo'u cyfrifoldeb tuag at y cyfarfodydd cyhoeddus. Mae lle hefyd i fwy o lawer o ysbryd defosiwn yn ein plith fel Ymneilltuwyr; hwyrach y crëir neu y dyfnheir hwnnw trwy gyfrwng hyn.

## Gweddi am Oleuni ar Amcan Bywyd

Ein Tad nefol, yr ydym yn credu dy fod, a'th fod yn gwobrwyo pawb sy'n dy geisio; nid yn Dduw pell, ond yn wastad yn bresennol yn holl adnoddau anfeidrol dy ras, i roddi i ni bopeth sydd arnom ei eisiau ar gyfer bywyd a byw yn dduwiol. Yn d'oleuni Di yn unig y gwelwn ni oleuni. Ymbiliwn arnat roddi goleuni ar ystyr ac amcan bywyd. Datguddia d'ogoniant inni yn wyneb Iesu Grist.

Cynorthwya ni i weld pethau fel yr wyt ti yn eu gweld, a'u prisio fel yr wyt ti yn eu prisio. Ein tuedd ni yw cysylltu pwysigrwydd â phethau dibwys, a chyfrif y pethau hynny'n ddibwys sydd yn dragwyddol bwysig yn dy olwg Di. Rhoddwn yn aml y lle isaf i'r pethau uchaf, a'r lle uchaf i'r pethau a ddylai fod yn is. Ac, O Dad, wedi inni weld, dysg ni i wneud. Ad-drefna Di serchiadau'n calon, a gweithredoedd ein dwylo, a rhodiad ein traed, fel y byddo'n bywyd i gyd yn dy fynegi Di a'th fawl. Amen.

## Am Galon Ddiolchgar

O Arglwydd caredig, dysgaist ni mai hyfryd ydyw meddu calon ddiolchgar a llawen, dyro inni'r gras i fedru diolch i Ti am bob bendith a thrugaredd, a chaniatâ inni fedru defnyddio dy drugareddau i ddangos d'ogoniant a hyrwyddo'n hiachawdwriaeth, trwy ein Harglwydd Iesu Grist. Amen.

## Am Gariad Duw

O Arglwydd, Duw pob daioni a gras sy'n haeddu cariad mwy na fedrwn ni ei ddeall na'i roi. Llanw'n calonnau â'r fath gariad tuag atat fel na bo dim yn rhy anodd inni ei wneud na dim yn ormod inni ei ddioddef wrth ufuddhau i'th ewyllys. Ac o'th garu fel hyn, dyro inni fynd beunydd yn debycach i Ti, ac ennill o'r diwedd goron y bywyd a addawyd i bawb sy'n dy garu, trwy Iesu Grist. Amen.

## Gweddi Plentyn Ysgol

Ein Tad, gwna ni'n blant gonest sy'n dweud y gwir, wrth chwarae ac wrth weithio. Gwna ni'n fonheddig tuag at bawb, ein rhieni a'n teulu, a'n hathrawon yn yr Ysgol Sul, a'n cyfeillion i gyd, er mwyn Iesu Grist. Amen.

*Darllener* Luc 15: 11-24; Rhuf. 8: 31-39; 1 Ioan 4: 7-10.

## Llawenydd y Sul

Diolchwn i Ti, Dad ein Harglwydd Iesu Grist, ffynhonnell pob daioni a thrugaredd, am iti ein hamddiffyn a'n cadw a'n cynorthwyo hyd yr awr hon. Ymbiliwn ar i Ti ein cadw ar hyd y dydd sanctaidd hwn, a holl ddyddiau ein bywyd.

*   *   *   *

O Dad nefol, o'th gariad Di y daw i ni bopeth a garwn. Dyneswn atat gyda chalonnau a wnaed yn llawen gennyt. Paratoa ni i roddi i Ti'r llawenydd a'r mawl sydd eiddot, mawl sydd mor ddiflino â'th ddaioni.

*   *   *   *

Diolchwn i Ti   Am serch ac anwyldeb teulu a chyfeillion, ac am dosturi a thynerwch ein ffrindiau.

Am Dy arweiniad a'th ofal drwy roddi i ni wŷr mawr, ac athrawon ym myd celf, cerdd, a llên.

Am ddynion a merched dawnus o feddwl a gwyn o gymeriad. Am oriau hamdden i ni fwynhau Dy fyd.

Am iti roi i ni yr Eglwys, yr Ysgrythur Lân, a'r ordinhadau sanctaidd.

Am yr heddwch a ddaw i ni o fwynhau Dy ddoethineb, a derbyn yn dawel Dy ewyllys, ac am y llawenydd a ddaw inni o geisio gwneud daioni.

Am Dy ddatguddio Dy hunan yn Iesu Grist, ac am anfon, i'n calonnau, Dy Ysbryd sy'n ein helpu i adnabod y Tad yr hiraethwn am fod yn debyg iddo.

Am y rhwymau sydd yn ein clymu wrth y byd anweledig, ac am y ffydd sydd yn gloywi oriau dwysaf ein bywyd â goleuni gobaith tragwyddol.

Am bopeth sydd yn ein gwneud yn llawen a siriol, ac am bob bendith na fedrwn ni ei holrhain na'i hamgyffred.

## Y Nadolig

O Arglwydd tragwyddol, diolchwn i Ti am fod codiad haul o'r uchelder wedi ymweld â ni — i lewyrchu i'r rhai sydd yn eistedd mewn tywyllwch a chysgod angau — i gyfeirio'n traed i ffordd tangnefedd. Diolch i Ti fod y wawr wedi torri a llygaid dynion yn medru dwyn y goleuni llachar. Diolch i Ti am y seren fore a goleuni'r byd. Yr ydym heddiw yn cofio Ei eni, Ei ostyngeiddrwydd, Ei eiriau grasol a grymus, Ei dosturi, Ei galon fawr, Ei gydymdeimlad â'r syrthiedig, a'i gariad tuag at yr alltud. Yr ydym yn cofio Ei grud, Ei goron ddrain, a'i groes greulon. Amen.

## Gweddi Plentyn

O Annwyl Iesu Grist, sydd yn caru plant pob oes a phob gwlad, gwrando ein gweddïau. Diolch i Ti am ddyfod i'r byd yn blentyn a chwarae a blino fel ninnau. Yr ydym am fod yn debyg i Ti yn blentyn, yn ufudd, yn onest, yn bur, ac yn hapus. Yr ydym am dyfu i fyny fel y tyfaist Ti, mewn ffafr gyda Duw a dynion. Amen.

## Y Nadolig

O Dad tragwyddol, a'th roddaist Dy hun i blant dynion yng ngeni Dy Fab annwyl, Iesu Grist, gweddïwn am iddo gael ei eni hefyd yn ein calonnau ninnau, fel y'n gwaredo oddi wrth ein pechodau, ac adfer ynom ddelw ein Creawdwr i'r Hwn y byddo'r gogonaint yn oes oesoedd. Amen.

*    *    *    *

O Arglwydd Dduw, diolchwn mai'r galon ostyngedig ydyw dy drigfa Di, a mawrygwn Dy enw i Ti dy ddatguddio dy hun yn y baban Iesu, ac am fod plant y byd wedi eu cysegru ynddo. Gwna ninnau yn unplyg ein ffydd a'n cariad fel y profom lawenydd yr Efengyl a guddiwyd rhag y doethion a'r rhai deallus, ac a ddatguddiwyd i rai bychain. Gofynnwn hyn yn enw'r Hwn a wisgodd ein cnawd ac a gynyddodd mewn doethineb ac mewn ffafr gyda Duw a dynion. Amen.

## Cenedlaethol

*Gwyn ei byd y genedl y mae'r Arglwydd yn Dduw iddi, y bobl a ddewisodd yn eiddo iddo'i hun.* Salm 33: 12.

*Molwch yr Arglwydd, yr holl genhedloedd; clodforwch ef, yr holl bobloedd.* Salm 117: 1.

*Bydded i'r cenhedloedd lawenhau a gorfoleddu, oherwydd yr wyt ti'n barnu pobloedd yn gywir, ac yn arwain cenhedloedd ar y ddaear.* Salm 67: 4.

## Cenhadaeth Cenedl y Cymry

*Onid dyma'r dydd ympryd a ddewisais:*
*tynnu ymaith rwymau anghyfiawn, a llacio clymau'r iau, gollwng*
*yn rhydd y rhai a orthrymwyd, a dryllio pob iau?*
*Onid rhannu dy fara gyda'r newynog, a derbyn y tlawd digartref*
*i'th dŷ,*
*dilladu'r noeth pan weli ef, a pheidio ag ymguddio rhag dy deulu dy*
*hun?*
*Yna fe ddisgleiria d'oleuni fel y wawr, a byddi'n ffynnu mewn*
*iechyd yn fuan;*
*bydd dy gyfiawnder yn mynd o'th flaen, a gogoniant yr Arglwydd*
*yn dy ddilyn.* Eseia 58: 6-9.

O Arglwydd Dduw, a wnaethost o un gwaed bob cenedl o
ddynion i breswylio ar holl wyneb y ddaear, diolchwn i Ti am y
gynhysgaeth a roddaist i genedl y Cymry. Bendithiwn Dy Enw
am gyfoeth ein llenyddiaeth, a swyn ein barddoniaeth, a
melystra ein cerdd. Rhoddaist inni hyfrydwch y mynyddoedd a
glendid nentydd a dyffrynnoedd i'w mwynhau. Rhoddaist iaith
dlos inni, a meibion a merched a fu'n ffyddlon iddi, ac a lefarodd
wrthym drwyddi, dy eiriau a'th ewyllys Di. Na foed inni
ddiystyru y rhoddion hyn. Pâr inni gredu mai dy ewyllys Di
ydyw inni barchu'r iaith a roddaist a charu'r wlad y'n magwyd
ynddi. Er mwyn dy Fab, Iesu Grist, a ddaeth i'n byd yn Iddew
gwlatgar. Amen.

\*     \*     \*     \*

Ein Duw a'n Tad trugarog, dy blant Di ydyw holl genhedloedd
y ddaear, ac nid gwiw gennyt weld un ohonynt yn cael cam. Nid
dy ewyllys Di ydyw cyfyngu o neb ar ein rhyddid, na marw o'n
hiaith, na dirywio o'n pobl. Cofia am bob cenedl fach sy'n
methu byw ei bywyd oherwydd bod cysgod gormes y
cenhedloedd cryfion yn gorffwys arni. Maddau fusgrellni
meibion a merched ein cenedl sydd yn ddirym ei chenhadaeth
i'r byd, a maddau fursendod y plant sydd yn diystyru'r
etifeddiaeth a roddaist. Dyro inni gariad angerddol at heddwch,
a dyhead i geisio rhodio'r llwybrau a rodiodd dy was Dewi Sant
gynt. Amen.

## Deffro'r Gwanwyn

Hollalluog Dduw, Arglwydd nef a daear, ynot ti yr ydym yn byw, symud, a bod. Y mae dy haul yn tywynnu ar dda a drwg, a'th law yn disgyn ar y cyfiawn a'r anghyfiawn . Diolchwn i Ti am swyn a hyfrydwch y gwanwyn a'i addewid o dymhorau ffrwythlon. Llawenha'n calonnau â'th fendithion, fel y rhoddo ein genau i Ti fawl a fyddo mor ddibaid â'th ddaioni. Amen.

## Deffro Ysbrydol

O Arglwydd Dduw Hollalluog, y mae'n bryd i ni ddeffro o'n hir gwsg, oherwydd y nos a gerddodd ymhell a'r dydd a nesaodd. Cynorthwya ni i roi heibio weithredoedd y tywyllwch a'n harfogi ein hunain ag arfogaeth goleuni. Dyro i ni ein gwregysu ein hunain a rhoi olew yn ein lampau, a bod fel dynion yn disgwyl am ddyfodiad ein Harglwydd. Amen.

## Dymuniad am weld wyneb Duw

O Dduw, dangosi Dy hun i bawb sy'n dy geisio, rhoddi wybodaeth helaeth ohonot Dy hun i bawb sy'n dy garu, amlygi Dy ogoniant i'r galon bur. Y mae Dy Ysbryd yn trigo ym mhob dim, yn llefaru yn y wawr hael, yn galw yn y machlud haul, yn ymaros yn y dyfnfor, ac yn cartrefu yng nghalon dyn.

Cawsom ein creu i gymuno â Thydi, a threfnwyd ein bywydau i rodio gyda Thi. Maddau i ni fethu teimlo Dy bresenoldeb, ac i ni ymorffwys ar bethau y medrwn eu gweld, ac mai diwerth gennym bethau tragwyddol a sanctaidd. Anfon yn awr ryw genadwri a ddichon gyrraedd ein calonnau, a thyrd dithau yn agos atom. Didola ni oddi wrth y byd; dynesed pob ysbryd atat. Deued Ysbryd Iesu ar bawb, a dyro i ni deimlo'n gartrefol yn Dy gwmni. Amen.

O Dduw pob doethineb, a wyddost ein hanghenion cyn ein bod ni yn gofyn, sydd barotach i roi nag ydym ni i dderbyn, maddau'n haddoli eiddil a'n gweddïau anniddig. Nid oes gennym ddim a fedrwn ei gynnig i Ti, ond ni ein hunain, a gwael yw'r rhodd. Ond creaist ni a cheraist ni, a chyflwynwn ein hunain i Ti gyda'n methiannau, a'n gobeithion, a'n dymuniadau.

Gweddïasom yn fynych am bethau a fuasai wedi ein difetha pe rhoesid hwy. Gofynasom i Ti ein gwared rhag poen a phenyd pechod, ond yn awr gwyddom mai ein gadael ein hunain yn dy law Di yw'r weddi ddiogelaf a fedrwn ei gweddïo. Gwyddom mai newyn am gyfiawnder, y dringo blin, mai llwybr gweddi ac edifeirwch a'n dwg ni atat Ti. Buom yn erfyn arnat, 'Cuddia Dy wyneb oddi wrth ein pechodau', ond yn awr ein cri yw, 'Gosod hwy yng ngoleuni Dy wyneb a bydd yn dân ysol iddynt'. Amen.

## Y Genhadaeth

O Arglwydd, a wnaethost o un defnydd holl genhedloedd y ddaear, ac a ddanfonaist Dy Fab annwyl i gynnig heddwch ac iechydwriaeth i'r pell a'r agos, bydded fod holl dylwythau'r ddaear yn chwilio amdanat ac yn Dy gael, a phrysured y dydd y cyflawnir Dy addewid ac y tywelltir Dy Ysbryd ar bob cnawd; trwy ein Harglwydd Iesu Grist. Amen.

O Dduw, a'th ddatguddiaist Dy hun i ni yn Iesu Grist, ac a'th ddangosaist Dy hun i genhedloedd eraill ym mywydau dynion sanctaidd ac ysbrydol, credwn mai ym mywyd a marw a dysgeidiaeth Iesu Grist y perffeithir pob gwirionedd, ac mai Dy fwriad grasol ydyw i bob dyn rannu â ni o'r gwirionedd hwn. Pa fodd, O Dduw, y rhown i eraill y gwirionedd a ddeëllir mor aneglur gennym ac a werthfawrogir cyn lleied? Dyro inni syniad amgenach o'r gwirionedd fel y mae yn yr Iesu, fel y gallom ei gyflwyno i eraill yn fwy llwyr. Amen.

O Arglwydd, sy'n galw dynion a merched yn genhadon i dystio i'r Efengyl dragwyddol drwy'r holl fyd ac ym mysg pob cenedl, dyro Dy ras cynhaliol i bob un a wrandawodd ar Dy alwad. Dyro iddynt weld mawredd eu gwasanaeth, a gostyng-eiddrwydd i weld eu hannheilyngdod. Cyfarwydda hwy yn eu holl waith, a chyfoethoga'r doniau sydd ganddynt eisoes, a chywira'r doniau sy'n ddiffygiol. Dyro iddynt lawenydd a heddwch, dewrder a barn. Rho iddynt ysbryd parod i dderbyn yn ogystal â chyfrannu fel y llwyddont i ddangos Iesu yn eu bywydau yn ogystal ag yn eu gweithredoedd. Amen.

O Arglwydd y cenhedloedd, a chwelaist y canolfur o

elyniaeth rhwng Iddew a Groegwr a rhwng caeth a rhydd, una'r rhai sy'n arddel Dy enw ym mysg pob cenedl yn un frawdoliaeth fawr. Dyro fod pawb sy'n tystio i'th Fab ar y meysydd cenhadol yn dangos ei ysbryd hunanaberthol a'i wasanaeth iselfryd, a dyro eu bod yn medru cyfrannu rhyw ddawn ysbrydol i eglwysi ieuainc eu meysydd a hwythau yn cael eu cadarnhau; ac fel y byddo Dwyrain a Gorllewin yn un yng Nghrist a chydlafurio i hyrwyddo'r Deyrnas ogoneddus; trwy Iesu Grist ein Harglwydd. Amen.

O Iesu, ein Harglwydd, a ddangosaist gariad Duw trwy iacháu pob math ar glwyfau ac afiechydon, dyro'r un cariad i'r holl feddygon a'r gweinyddesau sy'n Dy wasanaethu yn yr Ysbytai Cenhadol. Dyro Dy ddoethineb a'th wroldeb iddynt. Dyro iddynt y llawenydd hwnnw sy'n eiddo i bawb sy'n ceisio rhoi gwasanaeth yn dy enw Di. Cynorthwya hwy i ddeall y cleifion, a bydded i'w hysbytai fod yn lleoedd y gwelo dynion Dydi yn gweithio. Amen.

O Arglwydd Dduw, cyfod ddynion a merched a fydd yn gymwys i ddysgu a hyfforddi yn yr ysgolion a'r colegau cenhadol trwy'r byd. Bydded iddynt trwy gyfrwng addysg geisio meithrin cymeriadau wedi eu llunio ar gymeriad Dy Fab, ein Harglwydd ni, Iesu Grist. Amen.

## *Diwedd Blwyddyn*

O Dduw Tragwyddol, yn dy law Di y mae bywyd a marwolaeth. Dy ewyllys Di a greodd bopeth, a'th ragluniaeth Di a gynnal bopeth. Ymgrymwn ger Dy fron gyda methiannau a siom a phechu blwyddyn yn pwyso arnom, a chan ymbil ar i Ti yn ôl Dy drugaredd nad oes pall arni, drugarhau wrthym, ddrwgweithredwyr truain. Rhown ddiolch calonnog i Ti am y bywyd a'r bara a roddaist inni o ddydd i ddydd, ac am i Ti oedi ein galw o'n pechu a'n ffolineb, a rhoi inni gyfle i ailfeddwl ac aildrefnu ein bywyd yn ôl y safonau a roddodd Dy unig Fab Iesu Grist inni. Fel y cerddwn yn nes i'r bedd dyro fod ein ffydd yn cryfhau, ein gobaith yn dyrchafu, a'n cariad yn ehangu. Cymorth ni i gofio mai Dy rodd Di ydyw pob diwrnod ac y dylid ei dreulio yn ôl D'orchymyn, ac mai D'ewyllys Di yw inni dderbyn dyletswyddau pob diwrnod a'u gwneud yn llawen fel y gweddai i rai sy'n ceisio dilyn ôl traed Dy Fab Iesu Grist, ein Harglwydd ni. Amen.

*Paratoadau ar gyfer Yr Wythnos Weddïo ym mis Ionawr*
*Dydd Llun*

DIOLCH
: am y llawenydd o gael ein galw i wybod a gwasanaethu amcanion cariad Duw. Am addas-rwydd yr Efengyl i gwrdd ag angen byd. Am allu'r Efengyl i achub unigolion o bob cenedl.

CYFFESU
: ein methiant i sylweddoli nerth gweddi ac absenoldeb ysbryd aberthu. Ein hymraniad a'n diffyg undeb ysbrydol.

GWEDDÏO
: am dystiolaeth ddewr i allu achubol Crist, am weledigaeth newydd o'r Deyrnas sydd yn dyfod. Am ysbryd antur dros Grist.

*Dydd Mawrth*

DIOLCH
: am ddatguddiad Crist trwy yr Eglwys i'r byd, ac am dyfiant yr Eglwys yn y gwledydd.

CYFFESU
: methiant i osod pwys ar y pethau blaenaf, a'n hunangarwch sy'n difetha bwriadau Crist, a'r diffyg gwir deyrngarwch i Grist ei Hun.

GWEDDÏO
: am waredu'r Eglwys o'i hunanddigonedd. Am ddyfod o'r Eglwys eto'n ddibris ohoni ei hunan gan ei ffydd yng Nghrist. Am i'r Eglwys fflamio o'r newydd gan dân yr Ysbryd Glân.

*Dydd Mercher*

DIOLCH
: am ddeffro cydwybod yn y gwledydd ar faterion moesol. Am bob mudiad sy'n ceisio hyrwyddo heddwch cydwladol. Am ryddid cydwybod mewn llawer gwlad, ac aeddfedrwydd y cenhed-loedd i Efengyl Crist.

CYFFESU
: y digasedd sy'n atal brawdoliaeth Gristnogol; yr eiddigeddau cydwladol sy'n atal heddwch yn y

byd; y masnachu annheilwng sy'n groes i ysbryd Crist.

GWEDDÏO am galon newydd gymdeithasgar. Dros ddynion o ewyllys da sydd yn ceisio lledaenu cyfeill-garwch rhwng y cenhedloedd. Am ryddid i bobl dan orthrwm, a'r bobl sydd eto heb ryddid.

## Dydd Iau

DIOLCH am Deyrnas Dduw yn dyfod yn weladwy yn yr holl fyd. Am ddianwadalwch Cristnogion China yn yr erlid. Am fod ysbryd Crist yn cyffroi pobl yr India, ac am lwyddiant y Groes yn Affrica.

CYFFESU methiant pobl y Gorllewin i ddehongli Crist i'r Dwyrain. Ein hysbryd plwyfol a'n rhagfarnau cenedlaethol a'n hoffrymau annigonol mewn bywyd ac arian a hamdden.

GWEDDÏO am i'r Eglwys glywed eto alwad Crist i bregethu'r Efengyl i'r holl fyd. Am i'r Ysbryd Glân beri cychwyn diwygiad mawr cyffredinol o'r Eglwysi.

## Dydd Gwener

DIOLCH am gariad teuluol, a rhwymau bywyd y cartref sy'n melysu'r byd â phurdeb ac â hedd. Am addysg grefyddol mewn ysgol a choleg. Am fod Dysg a Diwylliant yn ei gysegru ei hun fwyfwy i Grist.

CYFFESU y duedd fydol sy'n ceisio am sail i fywyd ar wahân i Dduw, a'r ymddygiadau anfoesol a'r drygau anfad y mae'r Eglwys wedi methu eu hwynebu yn llwyddiannus.

GWEDDÏO am i sancteiddrwydd priodas gael ei ddyfnhau yn ein mysg. Am i'r ddyletswydd deuluol gael ei hadfer yng nghartrefi'r wlad. Am i ysbryd Crist nawseiddio pob cartref ac ysgol a choleg. Am i'r ieuenctid gael nod eu delfrydau yng Nghrist.

81

DIOLCH am gynnydd yr Efengyl yn yr Eglwys yn ystod y can mlynedd diwethaf. Dros bawb sy'n dangos gogoniant Crist mewn buchedd a gwasanaeth.

CYFFESU ein calon-galedwch yn gwrthod hawl Crist ar y cwbl o'n bywyd, ein diffyg mewn gweld Crist yn y sawl y gwahaniaethwn oddi wrtho.

GWEDDÏO am adfywiad Efengylu trwy gynlluniau newydd a brwdfrydedd mwy ardderchog. Am i bob cylch mewn cymdeithas gael ei ddwyn wyneb yn wyneb ag apêl cariad Crist. Am i ysbryd eiriolaeth newydd afael yn yr Eglwys.

Y mae Crist yn disgwyl am gyfle i dywallt ei Ysbryd arnom — rhowch gyfle iddo ar gych-wyn blwyddyn newydd.

## *Litani Coffâd*

Greawdwr ffyddlon, drugarocaf Waredwr, a Charwr pob enaid, o'th flaen Di y saif ysbrydion y byw a'r meirw; rhown ni, Dy blant, nad yw eu bywyd ond cysgod, ddiolch i Ti, O Dad Tragwyddol, am bawb a fu'n fendith inni ar ein pererindod ddaearol:

Am bawb sydd gyda Thi mewn cymundeb ag ysbryd Crist ac yng nghadernid Ei gariad:
*Diolchwn i Ti, O Arglwydd.*
Am y ffyddloniaid a wnaeth gyffes dda, a safodd dros y gwir, a wrthwynebodd ddrwg:
*Diolchwn i Ti, O Arglwydd.*
Am fywydau a ddeffrodd y gorau ynom, ac a barodd inni ddeisyfu gwell; am anwyliaid a'i gwnaeth yn hawdd inni gredu ynot Ti, ac a roes ynom ddyhead am y gwir, a'r pur a'r prydferth:
*Diolchwn i Ti, O Arglwydd.*
Am y rheini a wnaeth aberth er mwyn i ni gael byw, a wasgarodd gariad ac anwyldeb arnom, a'n gwyliodd yn ddyfal heb rwgnach

fod y llafur yn galed, a gyfeiriodd ein camre, ac a weddïodd trosom cyn gwybod ohonom beth oedd gweddi:

*Diolchwn i Ti, O Arglwydd.*

Am rai annwyl iawn, na chlywir mwyach eu llais, ac na welir mwyach eu hwynebau, ond sydd â'u cariad yn trigo fyth yn ein calonnau:

*Diolchwn i Ti, O Arglwydd.*

Am y sicrwydd a feddwn, ac a deimlwn yn ein henaid, na ddichon dim gymryd Dy blant o'th law Di:

*Diolchwn i Ti, O Arglwydd.*

Sancteiddia y rhwymau sydd yn ein clymu wrth yr Anweledig, fel y cofiom fyth am ein meirw, ac fel y byddo bendith eu ffyddlondeb a'u dewrder arnom ni, ac fel y cerddom gyda chalonnau a burwyd yn ostyngedig ar hyd y llwybrau a arwain i'r bywyd:

*Atolwg, gwrando ni, O Arglwydd.*

Gyda chymundeb yr holl saint, a gwaredigion pob oes, a chyda'n meirw bendigaid sydd gartref gyda Thi, y rhown fawl a gogoniant i'n Harglwydd Dduw:

*Trwy Iesu Grist ein Gwaredwr.* Amen.

*Ffiolau aur yn llawn o arogldarth, y rhain yw gweddïau'r saint.*
Datguddiad 5: 8.

## Croesawu Duw i'r Galon

O Arglwydd tragwyddol, sanctaidd a hollalluog, sydd a'th enw yn Gariad, ymgasglwn yma i geisio gwedd dy wyneb ac i addoli Dy enw mewn ysbryd a gwirionedd. Deuwn yn wir ostyngedig gan dy fod mor ddyrchafedig, ac yn gwrthwynebu'r beilchion. Deuwn yn ddwys edifeiriol, canys y galon ysig yn unig sydd deml i Ti. Deuwn yn enw ac yn ysbryd Iesu i wneud ein hewyllys yn un â'th ewyllys Di, gan ddychwelyd o'n llwybrau anunion a mwynhau dy gymdeithas felys, a rhoddi pob pechod heibio fel y gallom dy groesawu i'n calonnau. Tyrd ymhellach i'n heneidiau nag erioed o'r blaen a meddianna hwy yn llwyrach. Tywynned dy ogoniant arnom yn ddisgleiriach nag erioed. Goleua'r fflam ar yr allor, deffro foliant yn ein calonnau, cyneua arogldarth gweddi a dangos Dy Hun i ni oll. Amen.

## Yr Ysbryd Glân

O Ysbryd y Duw byw, anadla dy nerth grasol arnom. Tyrd atom a tharfa'n cwsg, a'n balchder, a'n difrawder. Os oes yn ein mysg rywun na theimlodd ei angen o'r blaen, dyro iddo newynu yn awr am Grist.

Tyrd i'n plith megis fflam danllyd, a glanha ni oddi wrth bechod — o'n budreddi moesol, a gwared ni rhag tywyllwch meddwl. Chwilia ni fel y byddom lân trwom. Tyrd atom fel y daethost at Iesu, yn cymell fel mam, gan roddi inni ras a thiriondeb, a'n gwneud yn hiraethus am gymundeb â phlant dynion ac yn fodlon dwyn beichiau ein gilydd. Tyrd atom fel gwynt aruthr, gan wasgaru tawch amheuaeth a chynhyrfu'n hysbrydoedd i rym a gwrhydri, a chwalu'r ofnau a'n caethiwodd cyhyd. Tyrd, Ysbryd Sanctaidd, tyrd i'n calonnau. Amen.

## Ymbil am Oleuni

O Dduw, wrth dy air Di y tywynnodd gwawr o ganol nos dywyll, a gweddïwn am i'r goleuni gerdded nes torri o'r wawr a tharfu'r cysgodion. Tywynned dy oleuni ym mhellafoedd yr enaid, rhag ofn i ryw bechod a fynwesir yno gau dy glust i'n gweddïau. Cynhyrched heulwen dy gariad ffrwyth yn ein natur ddiffrwyth, a meda gynhaeaf helaeth o rawn nefol o'r pridd, cyndyn ei gnwd, sydd ynom. Goleua randiroedd anhysbys ein natur, fel yr amlyger galluoedd cudd a'u defnyddio i wasanaethu Dy Deyrnas. Tywallt dy oleuni ar barthau tywyll y ddaear fel y dymchweler preswylfeydd trais. Darfydded trueni dynion o flaen codiad Haul Cyfiawnder. Dyro oleuni ar y pynciau sydd yn ein drysu, aed heibio nos amheuaeth ac ofn, a thorred gwawr i'r llygaid sy'n disgwyl. Amen.

# GEMAU THOMAS Â KEMPIS

*Nodyn* Bernir mai Thomas Haemmerlein oedd gwir enw Thomas à Kempis, awdur y gwaith ardderchog *Imitatio Christi*. Mab ydoedd i grydd, a ganwyd ef yn y flwyddyn 1379 mewn tref o'r enw Kempen, ryw ddeugain milltir o Cologne, y gŵyr bechgyn y Rhyfel ddiwethaf mor dda amdani. Bu farw yr awdur yn 1471. Fe gyfieithiwyd y llyfr i ryw hanner cant o ieithoedd, a budd mawr i ddarllenwyr *Y Deyrnas* fydd rhoi sylw i'r hyn a ddywed.

1. 'Yr hwn a'm dilyno i, ni rodia mewn tywyllwch, eithr efe a gaiff oleuni y bywyd,' medd yr Arglwydd. Dyma eiriau Crist, a thrwyddynt fe'n dysgir sut i efelychu Ei fywyd a'i arferion, fel y'n goleuer yn wir, ac y cawn ein gwared oddi wrth bob dallineb calon. Ein gorchwyl pennaf, ynte, fyddo myfyrio ar fywyd Iesu Grist.

2. Rhagora athrawiaeth Crist ar athrawiaethau dynion sanctaidd; a'r neb sydd â'r Ysbryd ganddo a gaiff ynddi y manna cuddiedig.

Ond digwydd yn fynych fod llawer o glywo Efengyl Crist yn ddifraw, oherwydd nid oes ganddynt feddwl Crist.

Y neb a fynno ddeall geiriau Crist yn llawn ac yn llwyr, cynllunied ei fywyd ar gynllun bywyd Crist.

3. Pa lesâd dadlau yn frwd am y Drindod, oni bydd gennyt ostyngeiddrwydd, ac felly heb ryngu bodd y Drindod.

Yn ddiau, nid geiriau a wna ddyn yn dduwiol a chyfiawn; ond bywyd rhinweddol a'i gwna yn gannwyll llygad Duw.

Amgenach gennyf deimlo dwysbigiad, na chael diffiniad ohono.

Pe gwypech yr holl Ysgrythur ar dafod leferydd, a holl Ddywediadau yr Athronyddion, pa lesâd yw hynny i ti heb gariad Duw a'i ras?

Gwagedd o wagedd, gwagedd yw y cwbl, ond cariad Duw, a'i wasanaeth Ef yn unig.

Y ddoethineb uchaf ydyw dirmygu'r byd ac ymgyrraedd at Deyrnas Nefoedd.

4. Gwagedd ydyw chwilio am olud diflanedig ac ymddiried ynddo.

Gwagedd ydyw hela anrhydedd, a dringo i safle uchel.

Gwagedd ydyw porthi chwantau'r cnawd, a llafurio am y peth y rhaid i ti eto ddioddef yn enbyd o'i gael.

Gwagedd ydyw chwennych hiroes, a thithau'n ddiofal am fuchedd dda.

Gwagedd ydyw ymlyncu yn y presennol, a bod yn gibddall i'r hyn sydd i ddyfod.

Gwagedd yw rhoddi dy fryd ar y peth a gilia fel niwl bore, heb frysio i feddiannu llawenydd tragwyddol.

5. Cofia'n fynych y ddihareb, 'Ni chaiff y llygad ddigon o edrych, ac ni ddigonir y glust â chlywed.'

Nac ymsercha mewn pethau gweledig, ond ymdro at yr anweledig.

Canys y neb a ddilyno ei chwantau cnawdol a staenia'i gydwybod ac a gyll ffafr Duw.


## PIGION O'R KORAN

Mawr yw'r gosb a ddarparwyd i'r anghyfiawn.

*    *    *    *

Gofyn faddeuant gan Dduw; canys parod i faddau a thrugarog yw Ef.

*    *    *    *

Rhy popeth sydd yn y nefoedd ac ar y ddaear fawl i Dduw; a chadarn a doeth ydyw Ef.

*    *    *    *

Cynhaliwr digonol yw Duw; pwysa arno Ef os mynni ymddiried-aeth ddiogel.

*    *    *    *

Nac anobeithia am drugaredd; oherwydd maddeua Ef bob bai, a thirion a graslawn ydyw.

*　　　*　　　*　　　*

Gwae pob enllibiwr ac athrodwr, a gwae'r neb a bentyrro gyfoeth gan ddisgwyl y bydd hynny'n ddigon ar gyfer y dydd a ddaw.

*　　　*　　　*　　　*

Na wastraffa dy dda yn afradlon; a bu'r diafol yn anniolchgar i'w Arglwydd.

*　　　*　　　*　　　*

Bydd gyson mewn gweddi, a dyro elusen: y daioni a yrri o flaen dy enaid, ti a'i cei gyda Duw; yn wir, gwêl Duw yr hyn a wnei.

## DIOLCHGARWCH FRANCIS O ASSISI AM BOPETH A GREWYD

O Arglwydd Dduw goruchaf, anfeidrol, daionus, i Ti y perthyn moliant, gogoniant, anrhydedd a phob bendith.

Mawl a fyddo i'm Harglwydd Dduw gyda'i holl greaduriaid, ac yn enwedig ein brawd yr haul, a ddwg inni'r dydd ac a ddwg inni'r goleuni; teg ydyw, a llewyrcha gydag ysblander mawr iawn; O Arglwydd, arwydd ydyw ohonot Ti.

Mawl a fyddo i'm Harglwydd Dduw am ein chwaer y lleuad, ac am y sêr a osododd Ef yn eglur a hawddgar yn y nefoedd.

Mawl a fyddo i'm Harglwydd am ein brawd y gwynt, ac am awyr a chwmwl, hindda a phob math ar dywydd; cynhelir â'r rhain fywyd ym mhob creadur.

Mawl a fyddo i'm Harglwydd am ein chwaer y dwfr, sydd yn wasanaethgar iawn i ni, ac yn ostyngedig a gwerthfawr a glân.

Mawl a fyddo i'm Harglwydd am ein brawd y tân, sydd yn rhoddi goleuni inni mewn tywyllwch; disglair a hyfryd ydyw a nerthol iawn a chryf.

Mawl a fyddo i'm Harglwydd am bawb a faddeuo i'w gilydd er mwyn ei gariad Ef, ac a oddef wendid a gorthrymder; gwyn ei fyd y neb a oddef yn dangnefeddus, canys Ti, O Oruchaf Un, a roddi iddo goron.

Mawl a fyddo i'm Harglwydd am ein chwaer Marwolaeth y corff, na ddichon neb ddianc rhagddi. Gwae y neb sydd yn marw mewn pechod marwol! Gwyn eu byd pawb a geir yn rhodio yn ôl Dy ewyllys sanctaidd, canys ni all yr ail farwolaeth mo'u niweidio.

Molwch a bendithiwch yr Arglwydd, a rhoddwch iddo, a gwasanaethwch Ef gyda gostyngeiddrwydd mawr. Amen.

Ganed Francis o Assisi yn 1182, a bu farw yn 1226.
Darllened ein brodyr a'n chwiorydd ieuainc hanes ei fywyd.

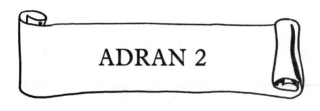

ADRAN 2

# Y Deyrnas.

Rhif 28.  Golygydd : PARCH. L. E. VALENTINE, M.A.  Y MIS BACH, 1926.

*Y mae'r Gymraeg yn Marw !*

A wyt ti'n un o'r rhai sy'n ei gyrru i'w bedd ?

**Misolyn y Bedyddwyr Cymraeg, Llandudno**

Dyma enghraifft o wyneb-ddalen *Y Deyrnas* sy'n crynhoi'n odidog argyhoeddiad eirias y Golygydd ar bwnc yr 'heniaith fwyn'. Sylwer mai yn y dauddegau y cyhoeddwyd yr uchod. Cafodd ein cyfaill yr hyfrydwch o weld sefydlu Cymdeithas yr Iaith Gymraeg yn y chwedegau!

Rhagor o enghreifftiau o wyneb-ddalen *Y Deyrnas*.

Ai meddwl yr wyt ti y medri fod yn Sais da wrth golli dy Gymraeg? Medŕi, os ewyllysi, fod yn Gymro da a gwych, ond ćred fi, Sais. gwael fyddi di, a bydd Sais a Chymro gwir yn chwerthin am dy ben. *Bydd yn Gymro da.*

Mawrth, 1926

Cymraeg ar yr Aelwyd,
Cymraeg yn yr Ysgol,
Cymraeg yn yr Eglwys.
*Diogeler hi yn y tri lle hyn, a bydd fyw byth.*

Ebrill, 1926

*Y mae'n bwysig i ti ddiogelu dy Gymeriad.*

*Y mae'n llawn mor bwysig i ti ddiogelu Iaith dy Famwlad.*

*A gollo ei Gymeriad neu Iaith ei Famwlad a gyll Hunanbarch.*

Mai, 1926

Y mae Cymry a gochant at eu clustiau os dywedwch wrthynt fod eu Saesneg yn glogyrnog. Ni chyffroant ddim' os dywedwch wrthynt fod eu Cymraeg yn warthus. Haeddant y dirmyg a gaffont.

Awst, 1926

## Y CYMRO AR EI WYLIAU

Cymhellir ni i ysgrifennu gair neu ddau ar y gwyliau hyfryd a gawsom eleni. Nid oedd dim anghyffredin yn y gwyliau hynny, na dim anghyffredin chwaith mewn mynd ar wyliau, oblegid dyma brofiad bellach sydd yn gyffredin i bawb. Buom mewn anhawster mawr yn penderfynu ple i fynd, rhyw feddwl weithiau mynd i Lydaw i weld yr hen Gymry yno a ormesir gymaint gan Ffrainc, ond methu â chael cymar i fynd yno nac i Iwerddon.

Wedi pendroni'n hir a chyfri'n pres, penderfynodd y Parch. J. T. Jones, Llanbradach a minnau ymweld â ffynhonnau Llanwrtyd, yng nghesail Mynydd Epynt. Yr oedd llawer peth yn ein denu yno. Yn ymyl y mae Cefn Brith, lle ganed y merthyr annwyl John Penry; yng Nghilmeri y lladdwyd Llywelyn ein Llyw Olaf, ac yn agos y mae Llanymddyfri, bro yr Hen Ficer ac yno y bu Theophilus Evans, awdur *Drych y Prif Oesoedd*, yn gurad. Ond yn goron ar y cwbl nid yw Pantycelyn ymhell, cartref y Williams anfarwol a'i emynau gwin. Cawn hamdden eto i sôn am y pethau hyn sydd mor agos at ein calon.

Cawsom lety gwir gysurus yn Brighton House, a chartref oddi cartref nid rhyfedd oblegid mae cewri ein pwlpud wedi aros yno o dro i dro. Sylwasoch ar destun hyn o ysgrif *Y Cymro ar ei Wyliau*. A oes gwahaniaeth rhwng Cymro a Sais neu Ffrancwr ar ei wyliau? Cymry yn unig o'r bron a ddaw i Lanwrtyd — Cymry pybyr o siroedd Aberteifi a Chaerfyrddin. Y rhan fwyaf i geisio iechyd drwy yfed y dyfroedd meddyginiaethol sydd yno, ond nid oes gennym ofod yn hyn o ysgrif i sôn am y dyfroedd.

Nid y dyfroedd na'r wlad yn ogymaint a gafodd fy sylw, ond y gwmnïaeth ddifyr a gafwyd. Nid oedd yno neb yn ei ystyried ei hun yn well na'i gymydog, nid oedd yno sawr *swank* na chysgod balchder. Dechreuwyd pob diwrnod gyda chyfarfod gweddi yn un o'r capeli, a'r capel yn orlawn. Rhyw fath ar weddi deuluol i ddechrau'r diwrnod oedd y cyfarfod. Nid anghofiaf byth swyn a chywirdeb gweddïau'r brodyr a'r chwiorydd yn y cyfarfodydd hynny. A phwy mewn gwirionedd oedd yr hen Gymro unplyg a feddyliai am ddechrau pob diwrnod o'i wyliau gyda chyfarfod gweddi? Diolch yr oedd pawb am y ffynhonnau iachusol oedd yn Llanwrtyd, ond yn gorfoleddu am y ffynnon a gaed 'i olchi pechaduriaid mawr yn glaer wynion'. Wedi'r cyfarfod, cyrchai pawb i'r ffynhonnau i yfed y dwfr priod i'w ddolur. Beth oedd y sgwrs wrth sipian y dwfr yn y ffynnon? Englyn a chân a phennill neu adnod ddyrys neu'r bregeth y buwyd yn gwrando arni'r Sul diwethaf.

Ni fedrwn lai nag ochneidio oherwydd bod y Gymru hon yn mynd heibio a'r Cymry hyn yn mynd yn brinnach, a rhyw boblach heb fod yn Gymry nac yn Saeson yn cymryd eu lle. Ar y prynhawniau gwlybion nid oedd dim gymaint wrth fodd calon yr hen Gymry hyn â chynnal cyfeillach grefyddol, a'r bobl ieuainc oedd yno yn tyrru i wrando ar brofiad dwys yr hen. Yn yr hwyr cynhelid eisteddfodau a chystadlaethau a mawr oedd y difyrrwch. Pan ddeallwyd mai pregethwyr oeddem, gosodwyd ni'n feirniaid ar y cewri oedd yn ymgodymu, a synnwyd ni fod safon y cystadlaethau cystal a'r amser mor brin i baratoi.

Cyn noswylio ymgasglai'r ymwelwyr ar y sgwâr i ganu emynau, ac weithiau i weddïo. Dyna Gymru yn ei gogoniant ac ar ei gwyliau hefyd, ac yr ydym yn falch fod ffawd wedi ein harwain eleni i bentref bach tawel Llanwrtyd. Yr oedd difyrrwch arall yno, treiglo pêl *(bowls)* a chwarae human *(tennis)* a rhwyfo ar lyn Aber-nant, ac yr oedd y Cymry mor eiddgar a brwd gyda'r rhain â chyda'u gweddïau.

Nid dyna ddiwedd ein gwyliau. Amser a balla i mi sôn am fy nhaith i sir Gaerfyrddin a'r pysgota yn afon Gwendraeth, a'r caredigrwydd mawr a gefais gan y Parch. M. T. Rees, y Meinciau. Hefyd haelioni'r gŵr hyfwyn o Hengoed, Mr. John Williams, a aeth a mi a Mr. Jones i weld abaty Tintern a thrwy sir Henffordd a Mynwy — nid oes ball ar ei garedigrwydd i bregethwr. Yng Nghaerdydd y dibennwyd y daith; yr oedd y Prifathro J. T. Evans a minnau'n pregethu yng nghyfarfod y Tabernacl, a chefais groeso mawr dan gronglwyd gynnes y Parch. Charles Davies. Mae ei lyfr gwerthfawr, *Y Bywyd Ysbrydol*, allan o'r wasg, ac argymhellwn bawb i'w ddarllen yn ofalus.                                        Tachwedd 1923


## Y BREGETH OLAF

*Stori a ddichon fod yn wir*

'Gobeithiaf, frodyr, eich bod wedi rhoddi ystyriaeth ddwys a gweddïgar i'r mater hwn, ac mai yn eich bendithio, ac nid yn eich melltithio, y bydd eich plant a'ch wyrion.'

Cyfarfod Eglwysig Blynyddol ydoedd yn 'Bethesda',

Llanilecwith a'r Parch. Emrys Owen yn llefaru. Tref a'i phoblogaeth oddeutu deunaw mil oedd Llanyllechwedd, canys dyna oedd ei henw cyn i Saeson amharchus ei drosi yn Llanilecwith. Bu Emrys Owen yn weinidog ynddi am bum mlynedd ar hugain. Nid oedd yn boblogaidd iawn yn y dref nac yn ei eglwys. Carai Gymru a'r Gymraeg a hen ddiwylliant y wlad yn rhy angerddol, ac ni fedrai yn ei fyw ddygymod â'r Saeson gormesol eu hysbryd, na chwaith â'r Cymry Saisaddolgar oedd ynddi. Loes i'w ysbryd oedd gweld rhieni yn cynnwys eu plant i fod yn Saeson a phawb ar eu gorau glas yn sarnu ar draddodiadau coethaf y genedl. Llesgawyd ei ysbryd hefyd gan y dirywio amlwg oedd ym moesau'r dref — peth sydd bob amser yn digwydd pan ddiystyro cenedl ei hiaith a'i hetifeddiaeth, a phan egyr ei drws led y pen i ddylanwad estronol.

Llethwyd ysbryd yr hen weinidog hefyd gan draha ei swyddogion crach-fonheddig yn erfyn arno roddi 'a few words in English' ar bob pregeth, a hynny ar waethaf y ffaith fod amryw o addoldai Saesneg yn y dref. Diorseddwyd y Llyfr Emynau ers llawer dydd gan yr *English Hymnal*, a chollwyd emynau gwin Pantycelyn ac Ann Griffiths o'r gwasanaeth. Yr oedd y Seiat druan, hithau, mewn bedd heb obaith atgyfodiad, a'r *English Address and Social for Young People* a gyhoeddid yn lle'r Cyfarfod Gweddi. Troesid un oedfa bob mis yn *Service of Song*, ac nid gwiw oedd sôn mwyach am y Cyfarfod Pregethu Blynyddol — rhaid oedd cadw *Annual Bazaar and American Tea* ar ddyddiau cysegredig yr uchel ŵyl gyfarfod. Pa wahaniaeth oedd fod i'r eglwys orffennol gwych a thraddodiadau disglair? Pa wahaniaeth oedd fod pobl fel Gruffydd Owen a Morris Rhisiart a Gwenno Dafis wedi dioddef cystudd a charchar a merthyrdod er mwyn sefydlu'r eglwys a chael rhyddid i bregethu a gwrando'r Efengyl yn eu hiaith eu hunain? Ba wahaniaeth oedd o mai gwerinwyr tlodion o Gymry eirias oedd wedi rhoddi eu ceiniogau prin i adeiladu'r capel hardd presennol? Ba wahaniaeth oedd o i'r bobl hyn am y gweddïau dwysion a'r profiadau hyfryd a gafwyd gan eu tadau yn y lle hwn? Rhaid oedd trosi y gwasanaeth yn Saesneg.

Dacw Saisaddolwr pennaf y fro ar ei draed, Enos Davies, hen

fasnachwr bach crebachlyd a'i holl fryd ar ddileu'r Gymraeg o'r gwasanaeth. Iddo ef *stickers in the mud* oedd pob Cymro a garai ac a fynnai siarad ei iaith. Cynnig yr oedd o, *That all the services in Bethesda Church be henceforth conducted in English.*

Eiliwyd ef yn barod iawn gan Mr. Hughes Jones, y Compton, oedd wedi ei fagu ar aelwyd Gymraeg uniaith, ond bu yn Lloegr am dair blynedd ac ni chlywyd ef, druan, yn yngan gair o Gymraeg wedi dychwelyd oddi yno. Yr oedd y ddeuddyn hyn wedi pacio'r Cyfarfod Eglwysig â gelynion anghymodlon y Gymraeg, dynion na welwyd erioed mohonynt mewn Cwrdd Eglwys o'r blaen. Nid oedd neb o du y gweinidog ond rhyw hanner dwsin o werinwyr a fagwyd ym mherfedd y wlad, ond heb golli eu cariad at hen fywyd gwerinol annwyl y Cymro gynt. Bu dadlau brwd — caed geiriau celyd a dangoswyd ysbryd annheilwng iawn o ysbryd y Gwirionedd a oedd ganwaith wedi arddel mawl y tadau yn y Gymraeg bersain. Wfftiwyd dagrau a rhybudd yr hen weinidog a phasiwyd y penderfyniad gyda brwdfrydedd, â mwyafrif mawr iawn, a phenderfynwyd ei roddi mewn grym y Sul cyntaf o'r mis dilynol.

*   *   *   *

Sul cyntaf mis Chwefror ydoedd — y Sul olaf i'r Gymraeg yn eglwys Bethesda, Lanilecwith. Mae Enos Davies yn y sêt fawr a'i wyneb crebachlyd yn fwy crebachlyd nag erioed. Mae Hughes Jones, y Compton, yno yn rhwbio ei ddwylo gyda mwy o ynni nag erioed. Mae'n amlwg fod y ddau yn edifarhau dyfod ohonynt i'r oedfa. Edrychant yn bur anesmwyth yn ystod rhannau arweiniol y gwasanaeth.

Cyfyd Emrys Owen ei destun — ei lais yn eiddil a'r Beibl yn crynu yn ei law: 'Lle ni byddo gweledigaeth methu a wna y bobl.' Distawrwydd mud — disgyn y dagrau yn gyflym a phoethion ar y Llyfr nad agorir mohono byth mwy ym Methesda — dacw gorff lluniaidd yr hen weinidog yn siglo —syrth yn drwm ar lawr y pwlpud.

Rhuthra rhai o'r blaenoriaid ato a chlywir ef yn sibrwd gyda'i anadl olaf, 'Lle ni byddo gweledigaeth methu a wna y bobl.' Galwyd ar feddyg o'r gynulleidfa, ond yr oedd y Parch. Emrys Owen wedi marw.

Mawrth 1924

# Y CYMRY YN GENEDL

Cofiwch eich bod yn genedl, trwy ordeiniad Duw; am hynny, gwnewch yr hyn a alloch i gadw'r genedl yn genedl trwy gadw'i hiaith, a phob peth gwerthfawr arall a berthyno iddi. Os byddwch anffyddlon i'ch gwlad a'ch cenedl, pa fodd y gellir disgwyl i chwi fod yn ffyddlon i Dduw ac i'r ddynoliaeth? Na fydded arnoch gywilydd o'r pethau hynny y sy'n eich neilltuo oddi wrth genhedloedd eraill; ac os mynnwch ddynwared y genedl nesaf atoch, dynwaredwch hi yn y pethau y mae hi yn rhagori arnoch.

Gan i Dduw eich gwneuthur yn genedl, ymgedwch yn genedl: gan iddo gymryd miloedd o flynyddoedd i ffurfio iaith addas i chwi, cedwch yr iaith honno; canys wrth gydweithio â Duw yn ei fwriadau tuag atoch, bydd yn haws i chwi ei gael wrth ei geisio.

Pwy a ŵyr nad yw Duw wedi cadw cenedl y Cymry hyd yn hyn am fod ganddo waith neilltuol i'w wneuthur trwyddynt yn y byd? Ni byddai yn niweidiol i chwi gredu hynny, pa un bynnag. Y mae llawer cenedl fach wedi mynd yn genedl ddylanwadol mewn byr amser, a llawer cenedl fawr wedi cwympo megis mewn un dydd.

Y mae i genhedloedd, fel i bersonau, eu hamseroedd rhagosodedig. Ni chaffer y Cymry yn amharod pan ddelo amser eu hymweliad.

EMRYS AP IWAN
Mawrth 1924

## CAIS AT EGLWYSI CYMRU
### gan Undeb y Cymdeithasau Cymraeg

Ysgrifennwn atoch i geisio gennych roddi mwy o le i hawliau Cymru a'r Gymraeg yn eich mysg. Y mae crefydd ar ei cholled oherwydd y llanw estronol a ddaw i'n gwlad, a chredwn ei bod yn hen bryd inni droi yn ôl. Trowyd lliaws o eglwysi yn Saesneg, ond y mae llawer o'r rheini, diolch i ferched a bechgyn gwlatgar, yn galw am y gwasanaeth Cymraeg yn ôl. Y mae'r Ysgolion bob dydd yn dechrau deffro, a'u hathrawon a'u hathrawesau o ddifrif o blaid Cymru a Chymraeg. Beth am y capelau? Y mae eich gwlad yn hawlio gorau pob un ohonoch. Sut mae ei helpu? Awgrymwn a ganlyn i chwi:

1. Y Pwlpud, hyd y mae'n bosibl, i fod yn bwlpud Cymraeg.

2. Yr Ysgol Sul i fod yn drwyadl Gymraeg.

3. Dim ond llyfrau a Beiblau Cymraeg yn yr Ysgol Sul.

4. Yr athrawon i siarad Cymraeg yn y dosbarth.

5. Rhoddi llyfrau Cymraeg yn wobrwyon i'r plant.

6. Prynu a darllen llenyddiaeth yr enwad y perthynwch iddo, a chefnogi llenyddiaeth Gymraeg gyffredinol.

7. Y Côr a'r Gobeithlu i berfformio darnau Cymraeg.

8. Cadw'r Sul cenedlaethol bob blwyddyn.

9. Arfer enwau Cymraeg ar bethau'r capel.

(Awgrymwn yr uchod i sylw difrifol pawb a'i darlleno — Gol.)

Medi 1924

## SARHAU CENEDL

Y mae Cymru o Fôn i Fynwy wedi'i chythruddo gan waith anrasol y Brifysgol yn sarnu ein hawliau fel gwlad. Penodwyd Sais uniaith yn athro mewn Economeg ym Mangor, a gwrthodwyd rhoddi ystyriaeth i Gymro disglair ei ddoniau oedd yn ceisio am y swydd. Gwnaethpwyd peth cyffelyb yn Abertawe; etholwyd Sais yn athro mewn Athroniaeth, a Chymry llawer iawn cymhwysach yn ymgeisio amdani.

Mewn difri, pa falltod sydd wedi dyfod tros golegau ein Prifysgol? A ydyw bod yn Gymro yn rhwystr i ddyn yn ei wlad a'i fro ei hun? Onid gwerin dlawd Cymru o'i cheiniogau prin a gododd golegau'n Prifysgol, ac onid gan Gymry y'u cynhelir? Yr ydym ni yn dal allan na ddylai neb gael swydd ym Mhrifysgol Cymru oni fedr ddysgu a hyfforddi yn yr iaith Gymraeg. Nid dweud yr ydym na ddylai Sais gael swydd yn y Brifysgol. Nid ydym mor gul a rhagfarnllyd â hynny. Ond croeso i Sais neu

97

Iddew neu Ffrancwr dderbyn swydd, os medd y cymwysterau, ond IDDO DDYSGU CYMRAEG. Nid oes berygl i Gymro dderbyn swydd yn Lloegr heb fedru Saesneg, ac ni ddylai chwaith.

Paham, ynte, yn enw rheswm yr etholir Saeson i swyddi pwysig ym Mhrifysgol Cymru heb fedru iaith Cymru? Gwyddom rywbeth am awyrgylch y Brifysgol — gall pawb ond Cymro deimlo'n gartrefol ynddi. Nid yw mwyafrif ei hathrawon yn gwybod dim am Gymru nac yn meddu y gronyn lleiaf o gydymdeimlad â hi. Iddynt hwy, lle braf yw Cymru i dderbyn swyddi bras, ac y mae ganddynt wyneb i sarhau'r genedl a rydd y swyddi breision hyn iddynt. Nid yw tymer Cymru heddiw yn gyfryw ag y gellir cellwair ag o, a gwiw i'r Brifysgol sy'n ymorfoleddu ym mhopeth estronol gerdded yn araf. Y mae Cymru yn gallach nag oedd hi hanner can mlynedd yn ôl. A ninnau'n ymdrin â'r pwnc hwn, efallai mai diddorol i'n darllenwyr fydd gosod yma benderfyniad a gaiff ei drafod yng Nghymanfa Arfon yn y Felinheli y mis hwn: *Fod y cyfarfod hwn o Gymanfa Bedyddwyr Sir Gaernarfon, yn wyneb dylanwad dirywiol estroniaid sy'n ein gwlad, yn gymdeithasol a chrefyddol, yn annog Pwyllgor Addysg y Sir i osod y Gymraeg, yn ddiymdroi, ar yr un tir â'r Saesneg yn addysg yr holl ysgolion, a'i gosod hefyd ar yr un tir â'r Saesneg yn yr Arholiad am Ysgoloriaeth i'r Ysgolion Sir.*

Mehefin 1925

## YN ERW DUW

A ydych erioed wedi sylwi mor brydferth ydyw rhai o'r penillion a'r englynion sydd ar y beddau ym mynwent Eglwys Tudno Sant? Treuliasom brynhawn cyfan yno yn ddiweddar yn darllen ac yn copïo rhai ohonynt. Y mae lleoedd mwy digalon na mynwent, ac nid trist ydyw pob argraff a gaiff dyn yno. Awn i mewn trwy'r porth cyntaf, a'r englyn cyntaf y disgyn ein llygaid arno ydyw hwn:

Grace aeth o groesau byd, — o'r golwg
  Hi giliodd i'r gwynfyd;
  O'r gafell oer e gyfyd
  Iesu gorph Grace i gyd.

Yr oedd Grace yr englyn wedi ei bendithio â dyddiau lawer, canys yr oedd yn bedwar ugain namyn un yn marw. Ni ddengys angau ffafr i neb, a dyna braw o hynny ar garreg yn ymyl. Bedd bachgen ieuanc saith ar hugain oed, a dyma'i feddargraff:

Yn y llwch hwn y llechaf — i aros
  Hyd awr y farn olaf;
  Geilw'r Iôr, o'm gwely yr af,
  Yn y bedd mwy ni byddaf.

Gresyn na châi'r ieuainc gobeithiol lonydd gan yr angau! Dyma englyn o waith Cynddelw ar fedd un arall:

Brawd ieuanc llawn awydd — a meddwl
  Am addysg a chrefydd,
  A gwiw nodawl ganiedydd
  Ydoedd ef ar hyd ei ddydd.

Mae hiraeth yma o'i herwydd, — yntau
  Sy'n gantor i'r Arglwydd;
  Yn iach 'i lais mewn uchel lwydd
  A hedd odiaeth, mae'n ddedwydd.

Dyma fedd geneth ieuanc a fu farw yn ddwy ar bymtheg oed, ysywaeth, a dyma'r englyn campus sydd yn feddargraff iddi:

Mae i'n bron ffyddlon goffhad — am Maggie,
  A'i hedmygol ganiad;
  Y nef fry, a thŷ ei Thad
  Oedd alaw ei haddoliad.

Troedia'n ysgafn; dyma fedd gŵr ieuanc pedair ar hugain oed, a chyngor i ti a minnau arni:

Edrych ar fy medd a'm hoedran,
  A dysg ar dy daith dy hunan,
  Y daw'r ieuanc, ŵr truan,
  A'r hynaf oed i'r un fan.

Beth yw'r rhes enwau a welir ar y garreg fedd hon? Dyma drallod! Chwech o blant wedi eu claddu yn yr un bedd. Y chwech wedi marw o fewn deng mlynedd, yr hynaf ohonynt yn ddwy ar bymtheg oed, a'r ieuengaf yn un mis ar ddeg. Os croeswn y llwybr deuwn at fedd gwraig yn dwyn yr enw prydferth Lowri, a fu farw yn 1806, yn 70 mlwydd oed. Pentre bach tawel oedd Llandudno yr adeg honno. Ond ust! dyma fedd pregethwr a dau englyn arno yn tystio iddo fod yn filwr da i Iesu Grist:

> Isod dan ofal Iesu — Ioan fwyn
> Yn ei fedd sy'n cysgu;
> Enwog ŵr hawdd ei garu,
> Hynaws difost, gonest fu.

> Iesu a'i groes i euog rai, — a'i olud
> A selog bregethai,
> Ac â chân y cychwynai,
> O'r hen fyd i'r nef âi.

O ie, mae'n rhaid i mi fynd heibio bedd Tudno, bardd, llenor ac offeiriad, cyn canu'n iach â'r hen fynwent. Cafodd lawer gofid a helbul yn ei oes. Collodd ei Enid fach a hithau ond pedair oed. Digwyddodd peth hynod wrth gladdu Enid. Yr oedd yr ardalwyr wedi ymgasglu o bell ac agos, a chuddid wyneb y ddaear gan drwch tew o eira. Wrth y bedd wedi i'r offeiriad ddweud 'Pridd i'r pridd, lludw i'r lludw' penliniodd Tudno yn yr eira, a pharhaodd felly hyd ddiwedd y gwasanaeth. Ar eiliad dilynwyd ei esiampl gan y dorf fawr, ac aeth yn wylo cyffredinol trwy'r fynwent.

A ydych yn cofio'i benillion ar y testun 'Mae arnaf eisiau marw'? Dyma nhw i chwi:

> Mae arnaf eisiau marw,
> Er mwyn i mi gael byw
> Y bywyd purach hwnnw
> A guddiwyd yn fy Nuw:
> Mae arnaf chwant ymddatod,
> Er mwyn bod gyda Christ,
> Lle nad oes neb mewn trallod,
> Lle nad oes neb yn drist.

> Mae arnaf eisiau marw, —
> Ond O! mae arnaf ofn
> Yr ymchwydd rhyfedd hwnnw
> Wrth groesi'r afon ddofn:

Mae'm dwylo'n estynedig
I geisio teimlo llaw
Fy Ngheidwad bendigedig
A'm dwg yr ochr draw.

Mae arnaf eisiau marw
I ddiafol, cnawd a byd,
Fel byddo marw'n elw
Y nefoedd ar ei hyd:
Mae arnaf eisiau marw
Er mwyn i mi gael byw
Y bywyd purach hwnnw
A guddiwyd yn fy Nuw.

Hydref 1925

## HEN LADRONES

*Hanes trychineb a ddigwyddodd i un o'n Blaenoriaid parchusaf.*

Stori ddigrif! Wel, fe gewch chi farnu. Hanes lladrones sydd
gennym, a bu ei throsedd yn fawr iawn, ond, ysywaeth, ni ellir
dyfod â hi gerbron llys cyfraith na Chwrdd Eglwysig i ddysgu
amgenach pethau iddi.

Peth mawr yw cael byw ymhell tu hwnt i'r addewid, peth
anrhydeddus iawn ydyw byw hyd nes cyrraedd chwech a deg a
thrigain, ond dyna fu uchelfraint gŵr a edwyn ein darllenwyr yn
dda. Digwyddodd ei ben-blwydd ar y Sul — ei unfed pen-
blwydd ar bymtheg a thrigain. Rhaid, wrth gwrs, oedd dathlu
digwyddiad na ddaw i ran ond ychydig o'r hil ddynol. Sut oedd
dathlu digwyddiad fel hwn yn gymwys? Cael gwledd
ardderchog? Cig eidion, neu gig dafad neu gig llo neu gig oen?
Na, ni haedda'r cyfryw anifeiliaid gael hulio bwrdd i ddathlu
pen-blwydd pendefig! Nid teilwng cyw ychwaith, na thwrci, na
gŵydd; oni ddiflasom arnynt dros y Nadolig? Rhodder yr
anrhydedd i'r hwyaden, neu fel y geilw'r werinos yr aderyn
anrhydeddus hwn, chwiaden.

Wel, hwyaden am dani, a rhoddwyd chwe cheiniog i'r hogyn
am ei hebrwng i'r tŷ, a dodwyd hi yn ofalus yn y cwpwrdd yn y
buarth. Y nos a ddaeth a'i mantell ddu yn hugan dros bob
drygioni, ac o dan y fantell ddu yr hen ladrones a'i chymar yn

101

lladradaidd, a llwyddo heb fawr stŵr i agor y cwpwrdd.

'Beth sydd yma? Ha, dyma hwyaden a gadwodd ddyn marwol erbyn yfory ar gyfer ei ben-blwydd!'

'Blwyddyn i heno, Twm, y daru ni briodi,' meddai'r lladrones wrth ei chymar, 'tyrd, paid dirmygu rhodd y duwiau, dathlwn ein priodas trwy fwyta y tameidiau brasaf oddi ar yr hwyaden hon.'

A mawr fu'r gyflafan yn y cwpwrdd hwnnw, a phan dorrodd y wawr nid oedd ond ysgerbwd y chwiaden yn aros.

Beth ddywedodd y gŵr ar ddathlu ei ben-blwydd? Pa huodledd a dorrodd ar dawelwch y cymdogion y bore Sul hwnnw? A oedd y blaenor yn ei le yn brydlon? Pa ryw ginio a gafodd? Pwy ydi o? Ni chymeraf fy hoedl am ateb.

Ionawr 1928

## BRETHYN CARTRE

Yn ddiweddar bu Mr. Lloyd George, A.S., yn annerch cymdeithas Athrawon Ysgolion Canolradd yn Neuadd y Dref, a dywedodd rai pethau byw ynglŷn â'r pwysigrwydd o gadw diwylliant ac addysg Cymru yn Gymreig. Yr aflwydd mawr ydyw fod ein plant yn troi'n Saeson bach pan ânt i gyswllt â'r Ysgolion, ac yn arbennig pan ânt i awyrgylch yr Ysgolion Canolradd (*County Schools*).

Pwy neu beth sydd wrth wraidd y mawrddrwg hwn? Y mae gennym ein hateb parod, ond ni thraethwn ef yma. Y mae Mr. Lloyd George o blaid gadael i Gymru setlo'i phroblemau addysg ei hunan (dyweded pob Cymro gwir, 'Amen'). 'Yr ydym yn gwybod ein busnes,' meddai, 'ac yn gwybod yr iaith Gymraeg.' Ond nid yw'r awdurdodau a fynno drefnu'n haddysg o Whitehall yn Llundain yn gwybod. Iddynt hwy darn o Loegr ydyw Cymru.

Yr oedd rhai pobl yn beirniadu'r Gymraeg, meddai ym-hellach, a byddai ef yn barod i wrando arnynt pan allent fynegi eu hiaith eu hunain yn glir. Ni wyddent ddim am lenyddiaeth Cymru — y llenyddiaeth yr oedd mwy o swyn yn perthyn iddi nag i unrhyw lenyddiaeth yn y byd, ac yr oedd pobl oedd wedi ei hastudio yn dywedyd nad oedd dim i'w churo. Y mae Mr. Lloyd George yn gadarn o blaid cael Cyngor Addysg i Gymru fel y gallo reoli'i haddysg ei hunan. Dywedodd y dylai Cymru fanteisio er da ar y deffro cenedlaethol a ddilynodd y rhyfel mawr yn Iwrop.

'Mae gennych chwi,' meddai wrth yr athrawon, 'gyfrifoldeb mawr. Nid yn unig yr ydych yn dysgu plant, ond yn ffurfio cenedl. Yr oedd angen ehangu addysg, ond cedwch ef yn Gymraeg, gedwch iddo fod yn Frethyn Cartref. Nid oes arnaf eisiau gweld diwylliant Cymru mewn carpiau.'

Gorffennaf 1925

## CYMRU AR I FYNY

Yn Ffrainc yr yfais yn ffraeth — win lliwgar,
    Yn Lloegr cawl odiaeth,
    Yn Holland menyn helaeth,
Yng Nghymru llymru a llaeth.

Huw Llwyd o Gynfal<br>Tachwedd 1925

## YR EGLWYS YN Y *WITNESS BOX*

(Ateb i her Mr. Lloyd George yn Heol y Castell, Llundain, 24 Mehefin 1928)

Y Sul olaf ym Mehefin traddododd y Gwir Anrhydeddus Lloyd George, Aelod Seneddol yn San Steffan dros Fwrdeistrefi Arfon, araith ryfedd yng nghapel y Bedyddwyr, Heol y Castell, Llundain. Gosododd yr Eglwys Gristnogol yn y *witness box* a chroesholodd hi'n llym.

Peth hawdd iawn yn wastad ydyw beirniadu'r Eglwys, ac ymddengys mai dyma'r ffasiwn fwyaf poblogaidd heddiw ar wahân i wisgo sanau sidan a chwtogi gwallt. Y mae'n darllenwyr wedi darllen ei araith yn y papurau bob dydd, ac yn gwybod ei chynnwys, ac ar gais rhai o fechgyn ieuainc yr eglwys yr ydym yn rhoddi'r sylw hwn iddi.

Dowch inni godi brawddeg ohoni i'r *Deyrnas*: 'If all the

Churches had said "Halt," there is not a Minister or Monarch who would have dared to have done it,' hynny yw, cyhoeddi rhyfel yn 1914. Bu raid inni rwbio dipyn ar ein llygaid wrth ddarllen yr araith, ac yn enwedig wrth ddarllen y rhannau hynny sy'n ymwneud â pherthynas yr eglwys â rhyfel.

Peth cas ydyw cofio pethau weithiau — peth cas oedd cofio areithiau hynod eraill a draddododd y cyn-Brifweinidog huawdl hwn. Cofiasom amdano yn 1921 yn siarad yng Nghymanfa Gyffredinol y Methodistiaid ym Mhorthmadog. Y flwyddyn honno yr oedd dau beth yn mynd â bryd y wlad, sef y streic lo, a chythreuldeb a chreulondeb y mileingwn hynny yn Iwerddon a elwid yn *Black and Tans* (ymgroeswn wrth eu henwi). Ymyrrodd yr Eglwys yn y ddau beth hyn, a phasiwyd ganddi lu o benderfyniadau yn erbyn ymddygiad y llywodraeth yr oedd Mr. George yn ben arni. Iawn o beth i'r eglwysi oedd gwneud hyn. Anffyddlondeb i ysbryd y Meistr Mawr fyddai tewi a bod yn fud. Chware teg i'r Eglwys, yn ysbryd yr hen broffwydi arwrol galwodd ar y llywodraeth Georgiaidd i nadu camwaith ac anghyfiawnder a chreulondeb. Ond beth a ddigwyddodd? Yn y Gymdeithasfa ym Mhorthmadog dywedodd Mr. George wrth yr eglwysi am feindio eu busnes.

Ac yn ôl Mr. George y pryd hynny busnes yr Eglwys oedd gweithio ar linellau anwleidyddol dros ddirwest a rhyw bethau diniwed felly. Nid GWROL ond GLASTWROL oedd polisi Eglwys Crist i fod. Onid gormod o'r glastwreiddiwch hwn a fu yn hanes yr eglwysi yn ddiweddar, a mentrwn ddywedyd mai dyna sy'n cyfrif am gymaint o seddau gweigion sydd ynddynt.

Peth arall hefyd na fedrwn yn ein byw ei anghofio ydyw hyn: Onid Mr. George oedd y mwyaf taer yn ystod y rhyfel yn galw ar weinidogion yr Efengyl i droi'n *recruiting sergeants* a throsi eu pwlpudau yn llwyfannau i chwythu utgyrn rhyfel, ac annog ohonynt yr ieuanc i ymuno yn y rhyfel sanctaidd (*sic*) oedd i sicrhau buddugoliaeth i ni a chrocbren cyfuwch â chrocbren Haman i'r Kaiser? Buom ni yn y fyddin — yr oeddym ni yn un o'r bechgyn a wrandawodd ar yr efengylwyr hyn. Buom yn y rhyfel — gwelsom ei huffern, cawsom ein clwyfo'n dost — buom am dri mis yn ddall — buom am chwe mis heb wybod ai angau ai einioes oedd ein tynged i fod. Dioddefasom fel miloedd eraill, ond atgas gennym y gweinidogion hynny a buteiniodd y pwlpud i bregethu rhyfel, ond chware teg i'r gweinidogion hynny, y maent heddiw'n barod i weiddi 'PECHASOM'.

Ond beth fu rhan y gwŷr hynny a brotestiodd yn enw Crist yn erbyn rhyfel — y Gwrthwynebwyr Cydwybodol? Beth a gostiodd teyrngarwch i ddysgeidiaeth Crist i'r rhain? Atebed Dartmoor a Wormwood Scrubbs a charcharau eraill! Onid Mr. George oedd pen y llywodraeth a oedd yn gyfrifol am hyn?

Nid gwrthwynebu beirniadu'r Eglwys yr ydym, ond ni fedrwn oddef ymosod annheg. Gosoded pob dyn ei hun yn y *witness box* cyn gosod yr Eglwys. Gall yr Eglwys wneuthur llawer iawn mwy dros heddwch ac nid breuddwyd ffanatig i'n tyb ni ydyw breuddwydio am Gynghrair yr Eglwysi i alltudio rhyfel. Rheitiach gwaith fyddai ceisio hyn na diwygio'r Llyfr Gweddi Gyffredin. Rheitiach gwaith fyddai ceisio hyn na difetha amser ac adnoddau i drefnu basarau a phetheuach amheus eraill i dalu dyledion eglwysig oherwydd bod y saint yn grintachlyd.

Beth am ein henwad ni? Bu unwaith yn odidog o ddewr yn gwrthwynebu rhyfel. Pryd y gwneir ymwrthod ag arfau rhyfel yn amod aelodaeth eglwysig? Y mae'n rhaid gwneud rhywbeth yn fuan, fuan gan fod Seiat y Cenhedloedd mor annheg a dirym ac o dan bawen yr ymerodraethau cedyrn, a pha fodd y gallwn ni ymuno â hi, a hithau yn nadu inni ymuno fel Cymry? Nid cysurwyr galarus mohonom, ond efallai fod rhyfel arall yn nes atom nag a feddyliwn. Annidwyll geiriau Mr. George yng ngoleuni ei record yn nyddiau'r rhyfel, ond nid annichon llesiant mawr ohonynt. Pwy rydd i lawr sylfeini Seiat yr Eglwysi i ddilorni a dileu rhyfel?                    Gorffennaf 1928


## PREGETHU

Bûm yn ddiweddar yn rhoddi ystyriaeth i gyflwr pregethu yng Nghymru, a cheisiais grynhoi y meddyliau hynny i bregeth a draddodais yn y Tabernacl, ym mis Mehefin, a bu amryw o'r brodyr mor garedig â dweud eu bod yn unfarn â mi, ac anogwyd fi ganddynt i gyhoeddi'r bregeth, neu'i thraddodi ym mhob eglwys y digwydd i mi bregethu ynddi.

*     *     *     *

Deuthum adref o'r Gymanfa yn y Garn ag argyhoeddiad dwfn iawn gennyf — argyhoeddiad na fu erioed well pregethu yng Nghymru. Camgymeriad ydyw credu mai ers talwm yn unig yr oedd pregethwyr mawr yng Nghymru, a mynych y clywir dynion yn dweud 'Yr oedd cewri ym mhwlpud Cymru yn y dyddiau hynny'. Credwn na fu yng Nghymru well pregethu erioed — pregethu mwy ysgolheigaidd — ni fu yma erioed bwlpud mor onest, a mwy o ymgodymu ynddo â phroblemau sy'n blino dynion. Y mae'n wir, efallai, nad ydyw pregethu Cymru heddiw mor rhamantus â chynt, ond nid yw pwlpud ein gwlad yn ail i bwlpud unrhyw wlad.

*     *     *     *

Y mae gennym, ysywaeth, argyhoeddiad arall. Ni fu pregethu Cymru erioed yn effeithio cyn lleied ar ein gwrandwyr, a rhoddi cyfrif am hyn sydd dasg ry anodd i ni. Mi rown lawer am gael gwybod paham y mae pregethu Cymru, ac yntau yn bregethu mor wych a grymus, yn cael cyn lleied o effaith ar y gwrandawyr. Rhywsut nid yw dynion a merched heddiw yn eu gosod eu hunain i dderbyn argyhoeddiad o bregethu'r Gair.

*     *     *     *

Y mae dosbarth cryf yn credu fod oes pregethu ar ben, ac os gwir hynny, y mae dydd Protestaniaeth a chrefydd Efengylaidd ar ben hefyd. Ond ni chredwn hynny ddim. Y mae gennym gydymdeimlad mawr â'r gri a glywir am brydferthu y gwasanaeth oddifewn i'r addoldy. Glynasom yn ormodol wrth foelni diaddurn y Piwritaniaid, ac erbyn heddiw y mae'r moelni hwn yn gymaint o faich â rhwysg yr eglwysi offeiriadol.

*     *     *     *

Fe ddylai'r gynulleidfa gymryd llawer mwy o ran yn y gwasanaeth nag a wneir heddiw. Gellir yn ddiogel ddigon agor y drws bellach i litani a litwrgi, a phaham y dibrisir canu Salmau yn ein mysg fel enwad? Ers rhai blynyddoedd bellach rhoddwyd salm-dôn ar raglen y Gymanfa Ganu, ond rhyfedd ac ofnadwy ydyw'r ymdrech i'w chanu ar ddydd y Gymanfa. Y mae'r Ysgrythur yn sôn am 'glindarddach drain dan grochan', a dyna fu ein hymdrech ni hyd yma i ganu Salmau.

*    *    *    *

Ond daliwn i gredu mai prif beth y gwasanaeth a ddylai fod y pregethu, ac edrychwn ati i adfer pregethu'r Gair i'w urddas cynhenid. Dyma'r peth ffyndamental wedi'r cwbl. Llawer o siarad y sydd am yr hyn a gollodd yr eglwys. Collodd awdurdod ac urddas! Collodd ymlyniad y lliaws! Collodd ei llawenydd a'i hieuengrwydd! Ond y peth mawr a gollodd ydyw ffydd ym mhregethu'r Gair. Dyma, i'n tyb ni, sacrament fawr yr eglwys. Dyma ganolbwynt ei haddoliad. Dyma ffordd ffydd.

*    *    *    *

*'Mor hyfryd ar y mynyddoedd ydyw traed yr hwn sydd yn efengylu, yn cyhoeddi heddwch; a'r hwn sy'n mynegi daioni, yn cyhoeddi iechydwriaeth, yn dywedyd wrth Seion, – dy Dduw di sydd yn teyrnasu yn oes oesoedd.'*

Mehefin 1930

## ADDOLIAD CYHOEDDUS

Yr wyf wedi eich annog droeon i roddi sylw arbennig i'r Addoliad Cyhoeddus yn yr eglwys, ac yr wyf yn bur anfodlon bod cyn lleied o feddwl a chynllunio a threfnu ynglŷn ag ef.

Pa ran bynnag a gymer dyn yn yr addoliad, a pha mor ddinod bynnag a fo'r rhan honno, fe ddylai fod y gorau a fedr dyn ei roddi. Dylid dewis pob emyn a darn o Ysgrythur gyda gofal mawr ymlaen llaw a'u myfyrio cyn dyfod i'r cwrdd. Addoli Duw ydyw amcan pob gwasanaeth cyhoeddus, ac ni ellir addoliad felly heb orau llwyr pawb ohonom.

Yn ddiweddar darllenasom ysgrif werthfawr ar y pwnc hwn a gyhoeddwyd gan Gyngor Eglwysi Crist yn yr Amerig, ac yn yr ysgrif honno dywedwyd rhai pethau bachog a miniog, a chyflwynwn awgrym neu ddau o'r ysgrif i chwi. Ymysg pethau eraill condemniwyd y duedd sydd i wneuthur addoliad yn rhyw fath o gyngerdd, a rhoddi gormod o bwys ar yr elfen ddynol mewn addoliad a rhy fach ar yr elfen ddwyfol.

Pwysleisir yn yr ysgrif honno mai MAWL a CHLODFORI ydyw prif elfennau addoliad, ac anogwyd yr eglwysi i ddal ar y pethau a ganlyn:

1. Dirywio a darostwng addoliad ydyw ei wneuthur yn gyfle gan weinidog neu gerddor i ddangos ei ddawn.

2. Ym mhresenoldeb Duw distadl a dinod yw'r Gweinidog, ac ni ddylai dynnu sylw ato'i hun, trwy ei wisg na'i ymddygiad na'i sylwadau, na thrwy unrhyw beth arbennig a berthyno iddo — *mannerisms* ydyw'r gair a ddefnyddir.

3. Nid diddanu pobl ydyw amcan addoli, ac nid ennill pobl i ymddiddori mewn pethau crefyddol chwaith. Teimlwn yn drist pan glywom bobl yn dweud ar ddiwedd gwasanaeth crefyddol — 'Cawsom wasanaeth *diddorol* iawn'.

4. Ymysg y pethau sy'n handwyo addoliad enwyd a ganlyn: Emynau salw nad ydynt yn ddim ond rhigymau, ac y mae amryw ohonynt yn ein Llawlyfr Moliant, ac y mae clywed eu canu wedi difetha llawer gwasanaeth i ni. Peth arall sy'n difetha addoliad, yn ôl yr ysgrif hon, ydyw gwasanaeth wedi ei drefnu yn flêr a diofal, a gweddïau di-urddas. Fel y gellir disgwyl, llwyr gondemnir pob math ar siarad a sisial yn y seddau a phob fwlgariaeth (*vulgarism*) a diffyg moes yn y pulpud.

5. Nid yw'r ysgrif hon yn cyfeirio at BARATOI ar gyfer addoliad — geill eich darllen a'ch siarad CYN cychwyn am y gwasanaeth ddifetha ei holl ystyr i chwi.

Yr oedd yr ysgrif hon mor dda fel na allasom ymatal rhag dodi yma beth o'i chynnwys gwerthfawr, ac er nad yw llawer o'r meflau y sonnir amdanynt yn ein nodweddu ni, eto y mae'n weddus i ni fod yn effro a gwyliadwrus, a cheisio fyth sylweddoli maint ein cyfrifoldeb ynglŷn ag addoli Duw.     Ebrill 1936

# LLYTHYR

Annwyl Gyfeillion,

Ychydig Suliau yn ôl digwyddais draethu ar yr Eglwys, ei chyffes, a'i chenadwri a'i chyflwr, a da gennyf oedd fod rhai pobl ieuainc wedi dyfod ataf i drafod y bregeth honno ymhellach. Y mae peth fel hyn yn digwydd mor anfynych, a chredu a wnaf weithiau nad yw pobl yn gwrando ar bregeth —rhywbeth i wrando arnynt yn amyneddgar ydyw pregethau, a gorau po fyrraf y bônt. Efallai mai ar y pregethwyr eu hunain y mae'r bai am hyn. Nid ydynt yn ddigon pendant ac yn ddigon dewr a gwrol. Y mae'n pregethau ni yn rhy aml yn debyg i'r 'da-da' a roir i blant i'w cadw yn ddistaw a diddig.

Tua'r un adeg yr oedd y wasg felen yn llym ei beirniadaeth ar Aelod Seneddol bwrdeistrefi Arfon am iddo ddefnyddio gwasanaeth crefyddol yn Eglwys Heol y Castell, Llundain, i drafod ei argyhoeddiadau gwleidyddol, ac yr oedd yr un mor llawdrwm arno am ddefnyddio gwasanaeth dathlu canmlwydd-iant Dr. John Clifford i wneud yr un peth. Rhwng gwŷr Pentyrch â'i gilydd am hynny.

Ond yr ydym yn anfodlon iawn i wleidyddwyr ac eraill drin pregethwyr yn haerllug oherwydd eu bod yn ymyrraeth yng nghwestiynau mawr y dydd. Fe ddylai fod gennym rywbeth i'w ddywedyd, a llawer iawn i'w ddywedyd, ar wleidyddiaeth y dydd. Nid dadleu yr wyf y dylai pregethwr ymyrraeth mewn gwleidyddiaeth bartïol a defnyddio ei bulpud i hybu'r blaid boliticaidd y digwydd ef berthyn iddi. Ond fe ddylai pob pregethwr gyhoeddi beth yw meddwl Crist ar broblemau fel Rhyfel a pharatoadau am ryfel, diffyg gwaith ac anghyflogaeth, a phob rhyw ormes sy'n cyfyngu ar ryddid a llawenydd dyn.

Nid offeiriaid mohonom, ond proffwydi, ac ar y weinidogaeth broffwydol y rhown bwys, ac am hynny ein dyletswydd ydyw cyhoeddi i'r bobl yn ysbryd Amos ac Eseia a Jeremeia 'holl gyngor Duw', costied a gostio.

Gwae'r gynulleidfa honno sy'n disgwyl i'r pregethwr ddywedyd pethau bach neis ac esmwyth — dywedyd pethau y gallant heb ddim ymdrech meddwl ac enaid eu derbyn a chytuno â hwynt. Profocio a chynhyrfu a chythruddo dynion ydyw swydd proffwyd, nid eu hanwesu a'u maldodi.

Y mae'n rhan o'n huchel alwedigaeth ni greu barn yn erbyn paratoadau rhyfel erchyll; yn erbyn bradychu egwyddorion heddwch gan ein llywodraeth yng Nghynghrair y Cenhedloedd, yn erbyn defnyddio bro Llŷn i ddodi ynddi Ysgol Fomio — yn erbyn malltod y *Means Test*. Dyweded dynion fel Mr. Duff Cooper a fynnont — nid stiwardiaid iddynt hwy ydym ni — nid iddo ef chwaith nac i'n heglwysi nac i'n henwad yr ydym ni yn gyfrifol, ond i'r Hwn a roes i ni yr uchel fraint o bregethu ei Efengyl ogoneddus Ef.

Yn gywir iawn,
Lewis Valentine
Awst 1936

# LLOFFION

Darllenasoch yn ddiau am Saeson yn Fflint yn chwerthin yn wawdlyd am ben cynigiad i roddi lle amlycach i'r Gymraeg. Chwerthin am ben y Gymraeg yn ei chartref! Onid ydym yn genedl oddefgar? Mae'n dda i'r Saeson hyn ein bod yn caru heddwch. Ni fuasai eu bywyd yn Iwerddon yn werth grôt ar ôl y fath haerllugrwydd. Ond daliwn i garu heddwch a hwyrach y cawn ninnau yn y man trwy rym moesol yr hyn a enillodd y Gwyddel trwy'r cleddyf.

Onid oes dichon i'r awdurdodau yn y dref hon ddiogelu'r hen enwau Cymraeg sydd ar fin cael eu colli? 'Gorseddau' oedd enw y tir a amgylchir gan *Madoc Street* yn awr, a Morfa Rhianedd oedd hen enw y gwastadedd y saif Llandudno arno. Faint yn y dref, ie, o'r rhai a anwyd ynddi, sydd yn gwybod mai 'Cyngreawdr Fynydd' oedd hen enw y mynydd ac mai ei ystyr ydyw mynydd y gynulleidfa? Hwyrach yr enfyn rhywun hen enwau cartrefi a llecynnau Llandudno imi.

Onid ydyw yn gywilydd fod yr ysgol Sul yn gorfod treulio ei hamser prin i ddysgu Cymraeg i'r plant? Onid gwaith yr ysgolion bob dydd ydyw gwneud hyn? Onid ynfydion ydym yn talu i gynnal ysgolion sydd yn diystyru iaith y wlad? Hwyrach y cawn weld Cymry y genhedlaeth nesaf yn gwrthod anfon eu plant i'r ysgolion oni ddysgir y Gymraeg yn drwyadl iddynt.

Gobeithiwn y sylweddola athrawon ac athrawesau yr Ysgol Sul eu dyletswydd i ddefnyddio cyn lleied fyth o Saesneg ag sydd modd. Bu ymwelwyr y Cwrdd Dosbarth yn ymweld â ni yn ddiweddar, a gwridais pan glywais yr adroddiad yn cael ei ddarllen. 'Defnyddir gormod o Saesneg o lawer' yn Llandudno oedd rhan o'r adroddiad. Gobeithio na cheir achos cwyno yn hyn o beth eto.

Mawrth 1924

Llawen gennym fedru estyn croeso gwresog i'r Parch. Hugh Brookes o Mauritius, a hefyd Faith, yr eneth fach a swynodd gymaint arnom. Un o fechgyn y Tabernacl ydyw Mr. Brookes, ac ers rhai blynyddoedd bellach y mae'n genhadwr llwyddiannus iawn ym Mauritius.

Rhagfyr 1923

Dyma ni ar fin etholiad trefol eto. Ni ddylid dyfod ag ystyriaethau politicaidd i'r frwydr o gwbl. Y mae cymeriad yn fwy na chredo wleidyddol mewn etholiad drefol.

★ ★ ★ ★ ★ ★

*Sut i bleidleisio* — Os yw'r ymgeisydd yn addo rhoi ei holl egni i sicrhau tai, ac yn enwedig tai i weithwyr; os yw'n addo gwneud ei orau glas i ddiogelu'r Sul Cristnogol; os yw yn rhydd oddi wrth ysbryd *clique*; os yw yn grefyddwr, ac yn debyg o glymu ei grefydd a'i ddyletswyddau dinesig yn dynn wrth ei gilydd, yna cymhellwn chwi i roddi eich pleidlais yn llawen iddo a cheisio cael gan eraill wneud hynny.     Ebrill 1924

Ychydig a ŵyr efallai fod deddf ar lyfrau Prydain Fawr sy'n gwneuthur siarad Cymraeg mewn llys barn yn drosedd. Rhyfedd fel y mae Cymry wedi dygymod â'r fath anfri trwy gydol y blynyddoedd. Cafwyd ychydig — ychydig iawn hefyd — i brotestio yn awr ac eilwaith, ond difraw oedd y mwyafrif mawr. Gwell deffro yn hwyr na hwyrach.

Rhagfyr 1924

Yn y flwyddyn 1535 pasiwyd deddf yn corffori Cymru â Lloegr, ac yn dwyn ein gwlad o dan reolaeth deddfau Lloegr. Ceisiodd y ddeddf honno ddifodi'r iaith Gymraeg, a cheir ynddi y gorchymyn hwn:

> *No person or persons that use the Welsh Speech or Language shall have or enjoy any Manner Office or Fees within this Realm of England, Wales or other of the King's Dominion, upon pain of forfeiting the same offices or Fees unless he or they use the English Speech or Language.*

112

Methodd y ddeddf uchod â difodi'r iaith. A lwydda mursendod plant Cymru i wneuthur hynny?

Meddai Dr. Gruffydd Robert yn 1567:

> Canys chwi a gewch rhai cyn gynted ag y gwelant afon Hafren neu glochdai'r Amwythig a chlywed Sais yn dywedyd 'good morrow', a ddechreuant ollwng eu Cymraeg dros gof, a'i ddywedyd yn fawr eu llediaith. Eu Cymraeg sydd Seisnigaidd, a'u Saesneg, Duw a ŵyr, yn rhy Gymreigaidd.

Yr oedd Dic-Sion-Dafyddion yng Nghymru yn 1592, canys fel hyn y dywed Dr. Sion Dafydd Rhys:

> Eithr nid yw y fursenaidd sorod o Gymry, os teg dywedyd y gwir, ond gwehilion a llwgr a chrachyddion y bobl a'i brynteion. Ac yn yr un orseddfa a chadair y dylid gosod y rhai a fynnant ddifodi iaith y Cymry a dodi iaith y Saeson yn ei lle hi.

Y mae Morus Kyffin (1595) yn dywedyd ei farn yn groyw iawn am y dosbarth hwn:

> Rhyw ŵr eglwysig mewn Eisteddfod a ddywedodd nad cymwys oedd adel printio math yn y byd ar lyfrau Cymraeg, eithr ef a fynnai i'r bobl ddysgu Saesneg a cholli eu Cymraeg. A allai ddiawl ei hun ddoedyd yn amgenach?

Mawrth 1925

## Enllib

'Os dywed rhywun anair amdanat,' medd Epictetus, 'ystyria a oes gwir yn yr hyn a ddywed, ac os oes, penderfyna ddiwygio, fel na allo ei athrod niweidio dim arnat.' Pan ddywedwyd wrth Anacsimander fod hyd yn oed y plant yn chwerthin am ben ei ganu truenus, ei ateb oedd, 'Rhaid i mi ddysgu canu'n well'. Dywedwyd wrth Plato fod ganddo lawer o elynion yn ei enllibio, ac atebodd yntau, 'Nid yw o bwys; byddaf fyw yn y fath fodd fel na chredo neb eu henllibion'.

## A oes gennyt Elynion?

Nid oes fawr mewn dyn onid oes ganddo elynion. Y mae cymeriad diffuant — dyn a feddwl drosto ei hun, a ddywed yr hyn a feddwl — yn sicr o elynion bob amser. Y mae gelynion mor angenrheidiol iddo ag awyr iach: cadwant ef yn fyw ac

113

egnïol. Dywedodd un dyn mawr, ac yntau'n gwybod fod ganddo amryw o elynion o'i gwmpas, 'Y maent fel gwreichion, oni chwythwch, ânt allan ohonynt eu hunain'. Bydded ynoch yr hyder hwn yng nghanol enllib gelynion. Os arhoswch i ymddadlau â hwy, gwnewch yr hyn a ddymunant. Gadewch i'r trueiniaid lefaru eu digon: blinant yn y man, a'u tafod a bydra. Amdanat ti, gwna dy ddyletswydd yn dawel.   Mai 1926

*Cymru*

> Llys a chastell nid oes iddi,
>   Plas na maenor chwaith yn awr;
> Ond mae'r heniaith yn ymloywi
>   Ar wefusau'r werin fawr.          Crwys

Mehefin 1926

## *A fedri di Roeg?* (Actau 21, 37)

Yn fuan iawn daw allan o'r wasg lyfr hynod a gyhoeddir o dan nawdd Pwyllgor Cydenwadol Ysgolion Sul Cymru. Ei deitl ydyw, *Llawlyfr i Roeg y Testament Newydd*, gan yr Athro T. Hudson Williams, M.A., D.Litt., Bangor. Nid llyfr i'r ysgolor gwych ydyw, ond llyfr, ddarllenydd, y gelli di ei ddeall gydag ychydig o ymroad.

Beth sydd a fynno'r llyfr hwn â mi, meddwch? Os wyt ti'n dewis, gelli ddeall yr iaith yr ysgrifennwyd y Testament Newydd ynddi. Gelli siarad yr iaith a siaradodd Crist ei hunan, iaith Paul a mwyafrif yr apostolion, iaith beirdd a meddylwyr coethaf y byd.

Yr ydym wedi penderfynu gwneuthur yr anturiaeth a cheisio dysgu Groeg yn ein hysgol Sul. Bydd y dosbarth o dan ofal y gweinidog, a chynhelir ef ar awr arferol yr ysgol, ac y mae can croeso i ti ymuno â'r dosbarth hwn. Nid oes ond un amod a honno'n amod bwysig, sef cysondeb yn y dosbarth. Mi garwn i bawb sydd am ymuno ymohebu â mi yn ddioed. Y mae'n debyg na fedrwn wneuthur fawr i gyd yn ystod y deufis nesaf, ond gallwn wneuthur ein darpariaethau ar gyfer y Gaeaf. Ni

warafunir i ferched, os dewisant, fod yn aelodau o'r dosbarth
hwn.                                          Gorffennaf 1926

## Addoli Mair

Yn llyfr Syr O. M. Edwards *Llynnoedd Llonydd*, ceir pennod
ddiddorol ar 'Addoli Mair'. Bu'r Cymry unwaith yn Babyddion
selog iawn, ac y mae olion yr hen grefydd yn aros yn y tir o hyd.
Sawl Eglwys yng Nghymru sydd wedi ei chysegru i Fair? Yng
Ngogledd Cymru yn arbennig y mae Llanfair yn enw cyffredin
iawn ar bentrefi. Cydnebydd Syr O.M. fod addoli Mair wedi
bod yn gymorth mawr i buro ac i ddyrchafu meddwl y byd.
Dywedir mai genethod Iwerddon ydyw'r genethod diweiriaf a
phuraf yn Iwrop, ac mai'r ffaith eu bod yn addoli'r Forwyn
Mair a gyfrifir am hynny. Yn y llyfr y cyfeiriwyd ato, rhoir
rhestr o enwau blodau i ddangos y lle a gafodd Mair ym meddwl
Cymru. Rhown ninnau rai ohonynt yma.

| | |
|---|---|
| Gwlydd Mair | *Pimpernel* |
| Dagrau Mair | *Cowslip* |
| Eirin Mair | *Gooseberries* |
| Mwyar Mair | *Dewberry* |
| Clustog Mair | *Thrift* |
| Bysedd Mair | *Lady's Fingers* |
| Esgid Mair | *Lady's Slippers* |
| Llysiau Mair | *Common Bugle* |
| Mantell Mair | *Lady's Mantle* |
| Celyn Mair | *Butcher's Broom* |
| Gwallt y Forwyn | *Common Maidenhair* |
| Eurwallt y Forwyn | *Common Hair Moss* |

Y mae nifer o enwau a brawddegau eraill, a gwaith diddorol
fyddai i chwi eu chwilio a'u cofnodi a'u hanfon i mi i'w
cyhoeddi.                                    Gorffennaf 1926

## Y Cymrodorion

A ydych wedi ymuno â'r Cymrodorion? Y mae'n ddyletswydd
na ddylid ei hesgeuluso! Hydref 24, dechreuwyd y tymor trwy

gynnal Cynoswyd a Chân yng Ngwesty Hooson. Llywyddwyd gan Mr. John Roberts, a chafwyd noson o'r sort orau, chwedl chithau. Tachwedd 21, bydd Mr. Saunders Lewis — un o Gymry mwyaf dawnus yr oes — yn annerch ar *Cymru ar y Groesffordd.*

Tachwedd 1928

## Halogi'r Sabath

Y Sul o'r blaen buom yn pregethu ym Mangor, a syn oedd gweld tua dwsin o geir modur mawr yn orlawn o bobl yn cychwyn am Landudno. Cymry oedd y rhan fwyaf ohonynt, a threfwyr Bangor a thrigolion y wlad oddi amgylch, a rhai ohonynt yn ddiaconiaid ac yn aelodau eglwysig. Nid Saeson a phaganiaid ydyw halogwyr ein Sabath, ond Cymry a Christnogion hefyd.

Daeth newid trist tros ein gwlad yn ystod y pum mlynedd diwethaf, a rhyfedd mor rhwydd yr ymollwng pobl i baganiaeth. Clywsom am eglwys fechan ym mherfeddion y wlad heb un blaenor yn y sêt fawr y Sul o'r blaen; yr oeddynt wedi mynd gyda gwibdaith i Blackpool. Mor wych dy golofnau, O Seion!

Awst 1929

## Offrwm Diolch

Nid yw neb yn colli dim wrth roddi i hyrwyddo gwaith Teyrnas Dduw, a dyna galondid i roddwr ydyw rhoddi o'i brinder. Rhoddi a sawr aberth ar y rhodd.

Y mae gan Dr. Spinther James yn *Hanes y Bedyddwyr* stori am ŵr o'm cartref i a roddodd yn ardderchog. Yr oedd ei amgylchiadau yn brin a thlawd a phan ddaeth un dydd Sadwrn nid oedd ond swllt yn y tŷ, a Rhobat heb faco a Mari heb de. 'Mi wna i heb faco a rhaid i tithau wneud heb de,' medd y gŵr, 'canys Iesu Grist biau'r swllt hwn.' Bodlonwyd i hynny, a phur galed ydoedd ar y ddau. Ond gyda'r nos aeth Rhobat heibio i gwt y mochyn ac yno'n disgleirio'n hyfryd yn y cafn yr oedd swllt newydd sbon fel pe daethai'r funud honno o'r mint, a chafodd Rhobat ei faco a Mari ei the. Nid yw'n digwydd felly'n

116

wastad, ond ni wn am neb a fu ar ei golled oherwydd rhoddi i hyrwyddo Teyrnas Iesu Grist, ond gwn am gannoedd a fu yn nydd eu digon yn gyndyn i roddi i'w achos, a chyn diwedd eu dyddiau yn gofyn bara o dŷ i dŷ.

Medi 1929

## O Ddifri

Clywsoch sôn am gyfarfod a fu mewn un man, a llawer o siarad ynddo am sefyllfa pethau ym myd crefydd, a chyfododd un brawd brwd ar ei draed a dywedodd, 'Mr. Chairman, I move that we move the world.' Dyna'r ysbryd ardderchog a ddylai nodweddu aelodau'r Eglwys heddiw megis aelodau'r Eglwys Fore gynt. Ein tasg gyntaf ydyw gwneud ein haelodaeth eglwysig yn rhywbeth mwy na'n henw ar Lyfr yr Eglwys, yn rhywbeth mwy na dangos ein hwyneb mewn ambell i gyfarfod. Rhywbeth bach ydyw ein haelodaeth heddiw; rhywbeth diwerth ydyw aelodaeth eglwysig; pethau dibris yn ein golwg ydyw cyfarfodydd yr eglwys, ac ar chware bach yr esgeuluswn hwynt.

Aed pob un ar ei liniau heno nesaf a chyffesu yng ngeiriau godidog y Llyfr Gweddi Gyffredin: 'Nyni a aethom ar gyfeiliorn allan o'th ffyrdd Di fel defaid ar gyfrgoll. Nyni a ddilynasom ormod ar amcanion a chwantau ein calonnau ein hunain. Nyni a wnaethom yn erbyn Dy sancteiddiol gyfreithiau. Nyni a adawsom heb wneuthur y pethau a ddylesym eu gwneuthur; ac a wnaethom y pethau ni ddylesym eu gwneuthur . . . Eithr Tydi, O Arglwydd, cymer drugaredd arnom.'

Gadewch inni wneuthur o'n haelodaeth eglwysig rywbeth dewr ac anturiaethus. Oni fydd pethau'n gwella'n fuan, bydd yn rhaid inni daflu sialens i chwi. Gofyn i chwi efallai ddyfod i'r priffyrdd a'r caeau — gofyn i chwi ddyfod allan o barchusrwydd esmwyth yr Eglwys. Darfydded pob chware plant ynglŷn â'r Eglwys a'i gwaith. *Pob aelod o Ddifri* a fyddo'n harwyddair! Yn ystod y dyddiau nesaf, chwi a dderbyniwch wahoddiad gan y diaconiaid i ddyfod i wythnos o gyfarfodydd arbennig, a rhoddwch, da chwi, bopeth heibio er ei mwyn.

Medi, 1929

## Newydd Da

Y mae ym mryd Cyngor Addysg Sir Gaernarfon ddewis deuddeg neu fwy o athrawon, a'u gyrru i Landudno, yn bennaf er mwyn rhoddi hyfforddiant yn y Gymraeg. Dyna newyddion da o lawenydd mawr, a phasiodd Cyngor yr Eglwysi Rhyddion i gefnogi gwaith y Cyngor Addysg, ac addo pob cynorthwy iddo i roddi mewn grym yn ysgolion y Sir awgrymiadau'r adroddiad ar 'Y Gymraeg mewn Addysg a Bywyd'.

Gresyn na fuasai'r eglwysi mor fyw i'r peth â'r Cyngor Addysg. Nid y Gymraeg yn yr ysgolion, ond y Gymraeg yn yr eglwysi fydd cwestiwn mawr yr ugain mlynedd nesaf. Medd Golygydd *Y Darian* yr wythnos ddiwethaf, 'Gwelwn ymdrech fawr o du'r ysgolion i ddiogelu'r Gymraeg, ac ymdrech fawr o du'r capeli i'w lladd!'.

Hydref 1929

## Bethesda, Llanddulas

Y mae cysylltiad agos rhwng eglwys Llanddulas a Llandudno ar wahân i'r ffaith fod y gweinidog wedi ei fagu a'i godi i bregethu yn yr eglwys fechan yno.

Yn 1832 bedyddiwyd gan y Parch. John Griffiths, Llandudno, saith yn afon Dulas, a'r saith hynny ac un arall oedd aelodau cyntaf y Bedyddwyr yn Llanddulas. Gweinidog cyntaf yr eglwys yno oedd yr enwog Gynddelw. Y mae'r capel cyntaf yn aros hyd heddiw heb fawr newid arno, a rhyw bedwar ugain punt a gostiodd i'w adeiladu, ac yn ôl adroddiad yn *Seren Cymru*, 30 Gorffennaf 1836, fe welir bod llawer o lafur cariad ynglŷn â'i godi.

Gallwn ddywedyd llawer stori ddigrif amdano, am y dyn a dorrodd y cloc — am y botel frandi yn syrthio o gôt y pregethwr ar fore Sul, am yr anifeiliaid oedd yn rhoddi eu pennau trwy'r ffenestr bob Sul, ac yn gwrando mor sobr ag unrhyw sant oedd yno, am yr ieir a gerddai i mewn ar ganol yr oedfa, am frawd i mi a ymguddiodd o dan y bwrdd yn y sêt fawr am ei fod wedi anghofio ei ddarn yn y cyfarfod Ysgol, a mwy na dim am yr athrawon campus a gefais yn yr ysgol Sul, ac am y seiadau a'r cyrddau gweddi cynnes ac eneiniol oedd yno. Duw a fendithio yr hen achos bach — nid oes lecyn anwylach ar y ddaear i mi.

Medi 1936

*Y Gwir Anrhydeddus D. Lloyd George*

Gyda channoedd o eglwysi eraill, gyrrodd yr eglwys hon brotest yn erbyn codi'r Ysgol Fomio ym Mhorth Neigwl, a gyrrwyd copi o'r brotest i Mr. D. Lloyd George, ac wrth wneuthur hynny ysgrifennais apêl bersonol ato. Dyma ateb a gafwyd ganddo ddiwedd y mis diwethaf, a chan i ni roddi hysbysrwydd helaeth i'r peth yn *Y Deyrnas*, rhown hefyd gopi o'i ateb:

*31st July, 1936*

*My dear Mr. Valentine,*

*I have taken a very long time to consider the problem of the Bombing School at Lleyn, and have been overwhelmed with correspondence about it, but I refrained from sending a reply until I had given the deepest and most earnest thought to all the ramifications of the problem.*

*The conclusions that I have reluctantly come to I have expressed in a letter which I have sent to the Press.*

*I have given full weight to all the arguments about the disturbing effect of such a camp intruding upon a peaceful community like that which dwells in the Lleyn peninsula.*

*I still think the only remedy is to abolish bombing altogether. If there must needs be a bombing school it is better it should be in a sparsely populated part of the country than in an area which is densely populated. Let us unite in abolishing war from amongst the many horrors of this world.*

*Thank you very much for your kind reference to my War Memoirs. I have written with great frankness because I want to teach the present and future generations what war really means.*

*With every good wish,*
*Believe me,*
*Ever sincerely,*
*D. Lloyd George.*

Nid wyf yn meddwl bod gofyn i mi ychwanegu dim, ond nid wyf yn credu bod Mr. Lloyd George wedi deall ein gwrthwynebiad fel Cristnogion i'r peth hwn yn Llŷn. Ni pheryglir iaith a gwareiddiad Lloegr wrth blannu yno Ysgol Fomio, ond beth debygwch chwi fydd effaith plannu trefedigaeth Seisnig yn y darn Cymreiciaf o Gymru? A pheth fydd dylanwad y sefydliad ar dôn foesol yr ardal? Ond i ba beth yr ymhelaethwn? Fe amgaewyd pamffled Saesneg yn *Y Deyrnas* beth amser yn ôl yn gosod y dadleuon yn erbyn yr Ysgol. Y mae'n wir ddrwg gennym mai fel hyn y gwêl Mr. D. Lloyd George. Ond anghenraid a osodir arnom i ddal i ymladd yn erbyn y peth, costied a gostio.

Medi 1936

## *Cri o'r galon*

Y mae gennym ni Efengyl sydd yn anhraethol well a godidocach nag efengyl ysmala Hitler a Mussolini. Efengyl y mae'n anhraethol well fyw iddi a marw drosti na'u hefengyl dlawd hwy.

Y mae'n rhaid i'r Eglwys lefaru yn fwy gwrol a gweithredu yn fwy gwrol. Y mae'n rhaid iddi alw ar ieuenctid y wlad — nid i ddyfod ynghyd i gyfarfodydd dof ac i ryw noson lawen ac ymgomwestau a rhyw betheuach felly. Y mae'n rhaid i'r Eglwys alw ar y bobl ieuainc i grwsâd mawr — i grwsâd a gyfyd ofn ar holl alluoedd drygionus a rhyfygus y wlad. Fy ofn mawr i ydyw i'r Eglwys golli y cyfleustra sydd ganddi heddiw. Y mae dynion a merched ym mhob man yn ddigalon ac yn ddi-ffydd. Y maent wedi colli eu ffydd yn yr hen arweinwyr — yr hen wleidyddiaeth — yr hen bolisïau — yr hen ddulliau o feddwl a gweithredu.

Heddiw y maent yn troi yn ddisgwylgar at Gristnogaeth, ar ôl ei hesgeuluso hi yn hir, y maent yn troi ati gan ddisgwyl ganddi lawnder bywyd. A all yr Eglwys ei roddi iddynt? A all hi ddeffro ynddynt ysbryd antur, ennill ganddynt i wasanaeth Teyrnas Dduw wroldeb gwasanaeth dewr? O, y mae arnaf ofn — y mae arnaf ofn! Ac eto, oni all yr Eglwys wneuthur hyn, fe ddaw ar ddynolryw y dinistr mwyaf ofnadwy a ddaeth arno erioed.

Hydref 1936

## Disgleirdeb Y Gymraeg

Ysgrifennwyd y darn gogoneddus hwn o Gymraeg gan John Morgan, a anwyd yn 1688. Bu'n gurad yn Llandegfan, ac aeth oddi yno i Lanfyllin. Yn 1713 symudodd i Matchin yn Essex, ac yno y bu farw yn 1745. Cymerwyd y darn hwn o'i lyfr, *Myfyrdodau Bucheddol ar y Pedwar Peth Diweddaf, sef Angau, Barn, Nef, ac Uffern.*

Canys y mae dyn yn marw er y pryd y dechreuodd fyw. Yr ydym bawb er pan ddaethom yma, yn brysio o hyd tua'r byd nesa. Mae'r naill do yn dilyn y llall, a'r hwya ei oes yn ymadael mewn ychydig amser. Doe neu echdoe 'r oedd ein tadau cyn wyched gwŷr a ninnau, er gwaeled eu lle a'u llwch heddiw. Ond fel y maent hwy yr awrhon y byddwn oll ar fyrder. Mae pawb yn gydradd yn y bedd. Mae brenhinoedd yn diosg eu mawredd, ac yn gorwedd yn ddifalch gyda eu deiliaid yno. Mae'r ffel yn rhoi ei ben i lawr wrth ystlys y ffôl, ac nid adwaenir y naill oddi wrth y llall. Mae'r cyfoethog yn ymddarostwng i gysgu gyda'r tlawd, a'r dysgedig gyda'r anllythrennog. Nid oes yno neb yn elino am le, nac yn gofyn mwy rhwysg a rhagor na'i gymydog.

Fel hyn mae'n sicr y byddwn oll farw, a hynny cyn chwaith hir, eto nid oes dim mwy ansicr na'r pryd hwnnw. Nid ym yn byw ond wrth gynhwysiad yn y cyrff hyn; fe ellir ein troi allan o'n tyddynoedd daearol pan fynnir. Yr ym bob awr megis yn dianc am ein hoedl, a pha cyn gynted y collwn ni nis gwyddom. Awel fach a ddiffydd y gannwyll lwydoleu hon. Pwys bychan a dyrr edau ungorn einioes dyn. Draen crin a blewyn pen a fuont saethau angeu fwy nag unwaith.

---

Onid ydych yn falch eich bod yn medru Cymraeg pan ddarllenoch ryw wych ardderchowgrwydd fel hwn? Y mae un frawddeg arall o eiddo John Morgan yn werth ei chofio, a dyma hi: 'Ni wiw disgwyl nofio i borthladd tragwyddoldeb hyd genlli o ddifyrrwch cnawdol.'

Hydref-Tachwedd 1936